Bron Haul

Y Tyddyn ar y Mynydd

The Croft on the Moors

Catherine Owen
Lloyd Jones
Dr Eurwyn Wiliam

Cyflwynir y gyfrol hon i gofio Catherine, mam annwyl oedd mor hoff o lenyddiaith; gan iddi gynnau'r fflam yn ei hatgofion oedd yn gymaint o deyrnged i'w rhieni David a Sarah Griffith, Bron Haul, Gwytherin. Ac i eraill tebyg a gefnogodd weithgareddau diwylliannol a hynny mewn llefydd mor anghysbell.

This book is dedicated to Catherine, a dear mother, who was so fond of literature; her memoirs lit a flame which illuminated and paid tribute to the role of her parents, David and Sarah Griffith, Bron Haul, Gwytherin. We would also like to pay our respects to all those who have supported cultural activities, especially in remote areas such as this.

32307330

Argraffiad cyntaf: 2011

ⓗ awduron/Gwasg Carreg Gwalch

Rhif rhyngwladol: 978-1-84527-330-9

Mae'r cyhoeddwr yn cydnabod cefnogaeth ariannol Cyngor Llyfrau Cymru

Cynllun clawr: Sion Ilar

Cyhoeddwyd gan Wasg Carreg Gwalch,
12 Iard yr Orsaf, Llanrwst, Conwy, LL26 0EH.
Ffôn: 01492 642031 Ffacs: 01492 641502
e-bost: llyfrau@carreg-gwalch.com
lle ar y we: www.carreg-gwalch.com

Argraffwyd a chyhoeddwyd yng Nghymru.

Cynnwys

Contents

Cyflwyniad

Ar ddydd Nadolig 1900, fe aned merch fach mewn tyddyn moel ar fryniau Hiraethog. Trigai'r teulu Griffith ar ychydig aceri o weundir corslyd, gan fagu tri phlentyn ar ddeg i gyd; mae'n anodd dychmygu heddiw sut y llwyddasant i fyw yno.

Yn niwedd ei hoes fe ysgrifennodd Catherine atgofion am ei phlentyndod ar ddechrau canrif newydd ym Mron Haul uwchben Gwytherin yn Sir Ddinbych. Ymhen dim fe newidiodd y Rhyfel Mawr y byd am byth ond roedd y teulu wedi ymadael cyn hynny, fel ag a ddigwyddodd mewn cynifer o leoedd tebyg, ac fe oerodd gwres yr hen aelwyd.

Yn y llyfr hwn cawn flasu tipyn o hanes Bron Haul, y tyddyn ar y mynydd, drwy lygaid tri unigolyn gwahanol. Yn gyntaf, cawn atgofion Catherine Owen (neé Griffith) o'i llyfryn *Y Llwybrau Gynt*. Yna cawn atgofion o ddechrau ail hanner y ganrif gan yr awdur Lloyd Jones a aned ym Mryn Clochydd, y fferm sydd bellach yn berchen ar Fron Haul. Yn olaf cawn feddyliau y Dr Eurwyn Wiliam, awdur *Y Bwthyn Cymreig* a gyhoeddwyd yn ddiweddar gyda chryn ganmoliaeth. Dr Wiliam yw cadeirydd y Comisiwn Brenhinol ar Gofadeiladau Hynafol Hanesyddol Cymru.

Bwriedir i *Bron Haul, y Tyddyn ar y Mynydd* fod yn deyrnged i ddarn hollol gyffredin o dir corslyd yn ucheldiroedd Cymru. Er nad chafodd Bron Haul le yn ein llyfrau hanes, mae stori'r tyddyn bychan hwn yn adlewyrchiad o frwydr ein cyndeidiau i gynnal a gofalu am eu teuluoedd yn wyneb caledi ac amgylchiadau anodd a dweud y lleiaf.

Fel sawl lle yng Nghymru, lle di-nod ynghanol nunlle yw Bron Haul. Er hynny, mae'n enghraifft wych o'r cefndir daearyddol a chymdeithasol a greodd y Gymry Gymreig sydd ohoni heddiw.

Bydd holl elw'r gyfrol hon yn cael ei roi i elusennau diwylliannol lleol.

Introduction

On Christmas Day, 1900, a baby girl was born in a small croft high in the hills of Hiraethog. The Griffith family, who went on to have 13 children, lived on a few acres of reedy moorland, and today it's almost impossible to imagine how they survived.

Late in life, Catherine recorded her memories of life at Bron Haul above Gwytherin in Denbighshire as the new century dawned. Soon, the calamity of the First World War would change the world for ever, and like so many upland farmsteads, this tyddyn was abandoned.

In this book the story of Bron Haul, a smallholding surrounded by lonely moors, is seen through three pairs of eyes. First we have Catherine's memories, which she recorded in a booklet, *Y Llwybrau Gynt* – The Old Pathways. Next we have the memories of the author Lloyd Jones, who was born at Bryn Clochydd, the farm which now owns Bron Haul, as the second half of the century began. Then we have the thoughts of Dr Eurwyn Wiliam, whose book, *The Welsh Cottage*, was published to acclaim recently. Dr Wiliam is chairman of the Royal Commission on the Ancient Historic Monuments of Wales.

Bron Haul, the Croft on the Moors, is intended as a tribute to a completely ordinary patch of peaty ground in the uplands of Wales. It has never played an important part in history, but its existence commemorates the remarkable story of our forefathers, who battled against incredible odds to sustain their families in very hostile conditions.

Like so many places in Wales, Bron Haul is nothing of note, in the middle of nowhere. Yet it also encapsulates the geographic and social conditions which forged the Welsh people of today.

All proceeds from this book will go to local cultural societies.

Y Llwybrau Gynt

Teulu Bron Haul / Ty'n Ddôl

David Griffith 1862–1923
Sarah Griffith 1876–1943

Jennie	Mawrth 20, 1894
Annie	Medi 28, 1895
John	Ebrill 20, 1897
Emily	Hydref 24, 1898
Catherine	Rhagfyr 25, 1900
Richard	Tachwedd 12, 1902
Evan	Ionawr 26, 1905
Sal	Ebrill 3, 1907
Lizzie	Mai 3, 1909
Dinah	Mawrth 7, 1911
David	Ebrill 5, 1913
Mary	Mawrth 17, 1916
Olwen	Chwefror 5, 1918

Y Llwybrau Gynt

gan Catherine Owen

Ychydig flynyddoedd yn ôl bu cyfres o raglenni ar y radio yn dwyn y teitl 'Y Llwybrau Gynt'. Edrychwn ymlaen yn eiddgar at eu gwrando ganol dydd unwaith yr wythnos a dotiwn at ba mor debyg oedd atgofion y cyfranwyr i'r mwyafrif o'm cenhedlaeth i, a minnau yn eu plith. Meddyliais wrth eu gwrando y dylaswn innau gasglu ychydig friwsion a'u rhoi ar bapur, rhag ofn y carai fy nisgynyddion gael cnoi cil a hamddena uwch eu pen, os o ddiddordeb.

Y cwestiwn mawr yw, faint sydd ar ôl ar gof a chadw erbyn hyn? Ofnaf fod llawer wedi mynd ar ddisberod dros gyfnod o dri chwarter canrif; ond, mewn ufudd-dod i gais taer yr ieuengaf o'r plant, dyma fwrw ati.

Byd gwyn

Fe'm ganed mewn ffermdy ar gyrion Mynydd Hiraethog, lle o'r enw Bron Haul, Gwytherin, a hynny ar fore dydd Nadolig cyntaf yr ugeinfed ganrif. Pe gallwn weld a siarad y bore hwnnw, gallesid yn hawdd ddweud fy mod wedi dod i fyd gwyn, gan fod gorchudd o eira ar y ddaear. Os oedd hi'n wyn yn llythrennol y bore hwnnw, ni pharodd yn wyn o hyd; byddai hynny yn annaturiol. Rhyw fynd a dod mae eira a rhyw frith a phrydferth yw bywyd i bawb; dim ond diolch yw ein lle.

Oes y teuluoedd mawr oedd hi y pryd hynny a deuthum yn un o dri ar ddeg o blant i David a Sarah Griffith, minnau y bumed ar y rhestr.

Lle anghysbell a diarffordd ydoedd Bron Haul, yn codi yn agos i ddwy filltir o bentref bach Gwytherin, neu'r 'Llan' yn hytrach, gan mai yno y saif eglwys hynafol Santes Gwenffrewi.

Mae darlun y bardd Richard Huws, Birkenhead – cefnder fy mam – o bentref ei faboed, Cefn Meiriadog, yn gweddu'n burion i bentref fy mebyd innau:

> Dim ond rhes o dai dirodres,
> Pwy a ŵyr eu hoed
> Yn y gesail dawel gynnes
> Wrth yr allt a'r coed.
> Tafarn lwyd ac efail henddu
> Siop ac ysgol, Llan a chlochdy
> Dyna'r cyfan o'r rhai hynny
> Fel pe yno erioed.

Pentan Bron Haul

Bwthyn unllawr oedd y tŷ fferm yn cynnwys pedair ystafell – digon oeraidd a digysur yn ôl a gofiaf ond doedd hynny'n menu dim ar feddwl plentyn. Nid oedd lle i foethusrwydd, sydd mor benuchel heddiw. Cael y ddau ben llinyn ynghyd oedd y nod a'r gamp fawr yr oes honno. Nid nad oedd modd gwneud yr hen aelwyd yn ddigon cysurus a chynhesol pan fyddai galw.

Grât hynafol yn cynnwys tri bar haearn oedd y lle tân. Dau bentan mawr sgwâr o bobtu allan o lechen wedi eu 'blac-ledio' – lle hwylus iawn i ddodi'r potiau pridd â'u llond o laeth i'w dewychu at ei gorddi a chael ymenyn ohono. Roedd ymenyn yn llenwi ei le gyda phob pryd bwyd o'r bron ac yn digwydd bod yn brin lawer i adeg. Ni allai'r hen fuwch ddu fynyddig roddi llaeth fel mae buchesi heddiw.

Byddai gan fy nhad air arall am ymenyn, sef 'enllyn'. Roedd hyn yn peri dryswch i mi. Ni chefais erioed eglurhad arno ac ni chofiaf imi ofyn chwaith ond gwn fod sôn yn y Testament Newydd i'r Arglwydd Iesu roddi 'tamaid wedi ei wlychu' i Jiwdas. Tybed a oes cysylltiad rhwng hyn ac enllynu?

Yn hongian uwchben y lle tân roedd cadwyn i ddal crochan neu degell fel y byddai'r galw. Byddem yn dibynnu arnynt hwy i gael dŵr poeth at goginio, golchi dillad a gwneud yr oll o waith y tŷ.

Tân mawn fyddai yn y grât ac roedd eisiau stoc dda ohono i bara am flwyddyn. Oddi tanodd, roedd lle pwrpasol i ddal y lludw. Ychydig iawn o lo fyddem yn ei weld ac roedd lludw mawn yn wahanol i ludw glo gan mai prin y byddai'n oeri o ddydd i ddydd. Wir, os oedd angen cynhesrwydd yn rhywle, roedd ei eisiau ar lecyn mor amlwg.

Cofiaf y crochan yn dda – un mawr gyda thri throed iddo i grasu bara yn y twll lludw. Ni welais ei debyg na chynt na chwedyn ac i ble yr aeth nis gwn. Gan nad oedd 'run math o ffwrn yn y tŷ, byddai fy mam yn gwneud bara a'i grasu yn y lludw poeth – ei roi yn y crochan a chaead arno. 'Bara cetel' y'i gelwid ef – yr un syniad â'r bara ager heddiw ond yn llawer gwell. Roedd pawb yn ei fwynhau. Byddai hefyd yn rhostio cig o flaen y tân ac roedd tun pwrpasol i'w roi ar y stôl haearn gyda bachau i hongian y cig, ond gan amlaf, câi ei ferwi er mwyn cael potes i wneud brwas i frecwast. Roedd yr hen bobl yn ddarbodus iawn i wneud defnydd o bob dim.

Yn wahanol iawn i ni ym Mron Haul, roedd y bobl oedd yn byw i lawr o'r mynydd yn berchen ar eu poptai mawr brics yn yr adeiladau gyda digon o goed i'w tanio.

Yr aelwyd

Dyma fraslun o gegin fawr y fferm: dresel derw golau, cwpwrdd gwydr, cloc wyth niwrnod, cadair freichiau bren (nid un esmwyth), bwrdd mawr gwyn gyda mainc i gymryd ei lle oddi tano a bord gron. Dyna'r bwrdd gwyn mwyaf destlus a welais erioed, o waith ewythr i mi, sef brawd fy mam (John Hughes, Llys Gwilym, Dinbych yn ddiweddarach). Roedd yn saer coed medrus a chywrain.

Rhyw gymysgedd o lestri oedd y tu mewn i'r cwpwrdd gwydr ond ar yr astell isaf roedd ychydig o lyfrau: y Beibl Mawr, llyfr emynau, *Geiriadur Charles, Taith y Pererin, Y Lladmerydd, Llyfr yr ABC* a *Trysorfa'r Plant* (Thomas Levi). Ychydig o lyfrau oedd yn ein cyrraedd yr adeg honno ond os oedd llyfrau braidd yn brin, roedd yr arian yn brin hefyd i'w prynu.

Ar un pen i'r tŷ roedd y siambr gyda ffenest fechan. Rwy'n cofio fel y byddent yn cynnau 'tân yn y siambr' pan fyddai babi newydd yn dod i'r teulu.

Byddai'n rhaid i 'nhad fynd i'r Llan yn weddol aml i gyrchu bwyd i'r teulu, a blodiau i'r lloi, y mochyn a'r ieir. Rhaid oedd bod yn ofalus a darbodus i wynebu hirlwm y gaeaf. Pan fyddai'r buchod yn hysbion a'r ieir wedi mynd ar streic, dyna'r adeg y byddai'n dda cael troi at y mochyn oedd erbyn hyn yn hongian ar y trawst mawr wrth ben y gegin er mwyn cael tafell flasus ar dywydd oer.

Colli'r ferlen las

Pe byddai digwydd i'm rhieni gael colled o ryw anifail, fe effeithiai'n drwm ar yr arian oedd yn y god. Cofiaf eu gweld yn crio wedi canfod y ferlen las yn farw yn y stabl ryw fore ar ôl bwrw ei chyw. 'Toedd colled yn golled yn yr oes honno. Hefyd, ambell i oen bach yn colli'r dydd a dim gobaith rhedeg at y milfeddyg. Cof bach sydd gennyf am y ferlen las – ei gweld yn y stabl ac nid yn ei gwaith. Rwy'n cofio yr un ddaeth yn ei lle, Sam, sef ebol blewyn coch digon handi ond yn euog o hen gast cas. Pan aethai 'nhad i'w gyrchu o'r caeau i wneud ei waith, dechreuai redeg rownd a rownd. Os oedd 'rhen Sam wrth ei fodd gofidiwn dros ei berchennog yn methu gwneud dim amgen na sefyll yn ei unfan gyda'r tennyn a'r ddysgl flawd yn ei ddwylo gan alw ar fy mam i ddod i'w helpu. Ni chafodd yr ebol newydd 'ddinas barhaus' efo'i driciau oherwydd prynwyd un arall o'r un enw ond gyda blewyn du. Roedd hwn yn onestach a haws ei drin.

Cysgod y coed

Yn tyfu o flaen y tŷ roedd tair coeden fawr a ffynnon fach wrth fôn un ohonynt. Roedd y coed hyn yn cysgodi rhag y gwynt ac yn lloches rhag y gwres; lle delfrydol i ni'r plant chwarae. Weithiau, byddwn yn cael fy ngyrru i nôl siwrnai o ddŵr; piser deuchwart yn fy llaw ddeau a phiser chwart (dau beint) yn fy llaw chwith. Ac felly ar hyd y blynyddoedd, wrth gludo dŵr, byddai'r trymaf yn y llaw ddeau a fûm i 'rioed yn hoffi dau biser o'r un maintioli, ni wn pam.

Chwaraeom lawer o dan y coed mawr; tri ohonom adref, sef Richard, Evan a minnau, a'r pedwar arall (Jennie, Annie, John ac Emily) yn mynychu'r ysgol ddyddiol yn weddol gyson yng Ngwytherin.

Nid oedd dim i aflonyddu arnom yn y libart bach hwnnw. Roedd yn lle diogel ar wahân i'r adegau pan fyddai'r mochyn yn rhoi tro i edrych amdanom gyda'i rochian aflafar. Roeddwn tipyn bach o'i ofn a dweud y gwir.

Tro trwstan

Roeddem dan siars i beidio agor y llidiardau oedd yn arwain i'r mynydd. Ond un tro aethom i fusnesu at un ohonynt. Llidiart bren fawr oedd hi a digwyddais roddi fy nhroed rhwng y ddwy ffon isa. Bu i'r giât agor a daeth fy nhraed yn ôl i'r ochr oeddwn yn sefyll a dyna lle'r oeddwn yn sownd yn y llidiart ac wedi dychryn am fy mywyd. Gyrrais frawd iau na mi i nôl Mam a chafodd hithau beth trafferth i'm rhyddhau. Un o'r troeon trwstan yn fy hanes a daeth llawer un i'w ganlyn.

Hud y mynydd

Anaml yr aem i'r mynydd wrthym ein hunain ond deuai Mam gyda ni yn awr ac yn y man am bicnic; cael 'te yn y grug' go iawn. Mynd cyn belled â chaban y bugeiliaid weithiau, oedd yn sefyll ryw hanner milltir o'r cartref i gyfeiriad Bryn Trillyn.

Byddem wrth ein bodd yn cael tro i'r mynydd; rhedeg a phrancio ac ymguddio yn y brwyn. Gwrando cân yr ehedydd a godai ambell waith wrth ein traed. Casglu blodau gwylltion a rhoi tusw mewn dŵr, ond ni allem helpu ein hunain i flodau'r grug – 'rhen goed bach yn llawn blodau yn ystod misoedd yr haf, y canghennau fawr byrrach na choes Robin goch ond er hynny yn herio pob rhuthr a storm oherwydd eu gwytnwch; llawer rhy wydn i'n dwylaw bach ni.

Deuem ar draws ambell i lwyn o goed llus hefyd a helpu ein hunain wrth gwrs a gofalu peidio staenio ein dillad. Byddai digon o'r piws ar ein dwylo a'n cegau.

Adloniant

Chwaraesom lawer gyda'n gilydd ein tri oddi tan y coed mawr oedd yn tyfu o flaen y tŷ. Roedd yr hynaf o'r ddau hogyn (Richard) gyda gwallt melyn cyrliog fel modrwyau aur ar ei ben a'r ieuengaf (Evan) gyda gwallt gwyn heb fod yn llawn mor gyrliog. Chwarae ceffylau y byddent gan amlaf, un rhwng breichiau'r ferfa a'r llall yn tywys. Ar adegau, casglent gerrig mân at ei gilydd i wneud siâp caeau. Roedd yn ofynnol rhoi dychymyg ar waith er mwyn creu ein diddanwch ein hunain mewn cyfnod tlawd fel hynny.

Y trip – ond nid i mi

Cof da gennyf amdanaf fy hun yn cael doli newydd am y tro cyntaf – doli glwt cyn hynny – minnau rhwng tair a phedair oed. Mae hanes y tu ôl i ddyfodiad y ddoli.

Digwyddodd diwrnod mawr yn hanes Gwytherin, sef iddynt gael trip Ysgol Sul i Landudno. Cychwyn yn fore, yn geir a merlod i fynd am y trên o Lanrwst, pellter o ryw wyth neu naw milltir. Roedd dau ohonom yn rhy fach i gael mynd a daeth perthynas i'n gwarchod. Yr hyn sydd yn gwneud i mi gofio am y diwrnod arbennig hwnnw yw i mi gael y ddoli newydd gyntaf honno y soniais amdani. Ceffyl pren a gafodd fy mrawd llai na mi ac mor falch yr oeddem. Yn rhyfedd, ni fu trip ar ôl hynny hyd ymhell yn y dauddegau, yn ôl a gofiaf.

Torri mawn

Rwyf wedi crybwyll eisoes mai tân mawn fyddai'r arfer yr adeg hynny, yn arbennig felly yn y bythynnod anghysbell. Byddai cryn lafur gyda'r mawn a byddai 'nhad yn ei dorri yn ystod mis Mai. Roedd haearn pwrpasol at y gwaith. Gadewid y sgwariau am ysbaid i sychu ac roedd ffordd arbennig i'w gosod bob yn dri gydag ymyl y pwll a'u cario i'r lan ar ôl hynny er mwyn hwyluso eu llwytho i'r drol.

Byddem wrth ein bodd yn cael mynd efo 'nhad i'w helpu efo'r mawn. Byddai'n rhaid aros tan ddechrau mis Medi cyn eu cario a'u gwneud yn das mewn llecyn cysgodol, os oedd un o gwbl, yn ymyl yr adeiladau a charthen drostynt.

Tywydd garw

Roedd y gaeaf mor hir ar lecyn mor amlwg a chlywaf y funud hon 'sŵn y curlaw yn dallu ffenestri ein tŷ' a'r cenllysg breision fel pe'n cael eu saethu o'r cymylau. Cofiaf yn dda hefyd gnwd tew o eira. Roedd hyn cyn i mi ddechrau fy ysgol. Yn lle cadw'r rhai hynaf adref o'r ysgol, aethai 'nhad ar gefn y ceffyl i'r siop a dod â phecyn o flawd yn ôl a hynny er mwyn gwneud trac yn yr eira i'r traed llai oedd eisiau ymlwybro trwyddo i'r ysgol.

Y drol

Byddai'n rhaid mynd yn fynych i'r Llan i gyrchu bwyd i'r teulu a hefyd i'r anifeiliaid – y mochyn, yr ieir, y lloi, y ceffyl, y pedair buwch y byddent yn eu cadw a rhyw hanner cant o ddefaid a borai ar y mynydd yn yr haf (ond yn y caeau islaw yn y gaeaf). Gwnaeth yr ewythr drol ysgafn i 'nhad i gario popeth oedd yn ofynnol i'r tŷ, ac at holl waith y fferm. Buasai'n greulon i unrhyw geffyl dynnu trol wag, hyd yn oed, ar le mor serth ac roedd y drol lai yn hynod o addas (y saer cywrain eto).

Y cynhaeaf gwair

Uchafbwynt ein mwynhad fyddai ar gynhaeaf gwair. Ar yr adeg hynny, byddai cyfaill o'r Llan yn dod i helpu gyda'r cynhaeaf o'r enw William Williams (taid y Parchedig Wili Williams, Machynlleth, a hen daid i Gwyn, Lona ac Ifor ap Gwilym). Byddem ni'r plant wrth ein bodd efo'r dyn dieithr – cael mwy o sylw mae'n debyg, a hwyl hefyd.

Nid oedd ond y bladur at dorri pob llathen o'r gwair yn y tyddynnod yr adeg hynny. Roedd yn sicr yn gofyn cryn nerth braich i'w dorri.

Roedd tri chae bach yn agos at y tŷ yn eithriad am eu cnydau trwm. Cofiaf y gwanafiadau yn dorchau uchel a'r ddau frawd bach yn ymguddio yn eu canol. Carwn weld y llecynnau hynny heddiw. Tybed a yw'r meillion yno o hyd? Go brin.

Fy nhad a'i das gywrain

Pedair buwch y byddai fy nhad yn eu cadw a gofalai bob amser godi digon o borthiant i bara dros y gaeaf. Ychydig oedd yn ei aredig ond mae gennyf gof am gyrnen fach o ŷd yn y gadlas – nid oedd ganddo 'run math o sied i roddi'r cnwd dan do.

Byddai'n rhaid troi'r das wair efo brwyn o'r mynydd, a hwnnw'n frwyn pwrpasol at y gwaith. Byddai'n edrych yn hynod o dwt wedi ei orffen, y brwyn lliw gwyrddfaen yn llyfn a disglair ac yn batrwm o waith celfydd a chywrain. Roedd yn rhaid cael pinnau pren rhyw hanner llath o hyd, a gwneud pigau arnynt i fynd i mewn i'r das a chortyn coch i'w clymu, y naill wrth y llall. Roedd wedi ei weithio mor gywrain fel yr edrychai'n hardd iawn i lygaid plentyn. Tybed faint fedrai wneud y gwaith heddiw?

Y fam ddarbodus

Un peth arall o gryn fantais yn y teulu oedd bod ein mam yn fedrus iawn ei llaw gyda gwnïo. Byddai'n gwneud siwtiau i'r bechgyn o remnant y byddai wedi ei gael am ychydig geiniogau yn rhywle. Hefyd, gwnâi ffrogiau i'm chwiorydd a minnau. Yn aml, digwyddai fod yn lwcus i gael sgert gan ryw hen fodryb neu nain, i wneud fel y gwelai hi orau. Roedd mewn sgertiau y pryd hynny lathenni o ddefnydd wedi mynd at eu gwneud. Roeddent mor llaes a chwmpasog, a'r bodis yn dynn ar wahân i'r llawes pwfflyd. Beth bynnag a ddywedir am ffasiynau yr oes bresennol, credaf fod tipyn o wastraff wedi bod yn y dilladau tua dechrau'r ugeinfed ganrif hefyd. Byddaf yn meddwl yn ddifrifol am y baich yr oeddynt yn ei gario gydag ychwanegiad o ddwy bais drom o dan y sgert – pais wlanen wen a phais stwff tew o'r ffatri wlân. Ceid poced fawr ar y sgert gan nad oedd ganddynt fagiau llaw.

Byddai Mam yn gwau hosanau i'r teulu hefyd gan anfon gwlân i'r ffatri yn gyfnewid am ddafedd i'w wau a gwlanen i'w wau neu frethyn i'w wnïo. Cymerai dipyn o amser i wau pâr o sanau i ddyn; y dafedd yn fain a'r gweill dur yn feinach. Roedd hyn yn llawer mwy anniben na'r gwnïo gan fod ganddi beiriant pwytho er hwyluso'r gwaith.

Mae'n rhyfedd meddwl sut roedd hi'n dod o hyd i'r amser i gyflawni ei holl ddyletswyddau. Clywir yn fynych yn awr, 'Dim amser i hyn a dim amser i'r peth arall' ond beth ddywed y gŵr doeth? 'Y mae amser i bopeth ac amser i bob amcan o dan y nefoedd.'

Dyn sydd i drefnu'r amser.

Teithio

Rhaid cofio mai cerdded y byddai pawb i bobman o'r bron, ar wahân i ambell deulu a feddai gar a merlen os oeddent yn ddigon ffodus. Roedd y ffyrdd yn flinedig i'w tramwy hefyd gan eu bod mor feddal a'r mwd yn hel ar wyneb y ffordd. Roedd cymaint o dramwyo ar hyd-ddynt rhwng pobl ac anifeiliaid. Anaml y gwelir ffyrdd fel hynny yn awr. Maent oll yn galed a glân ond yn rhy galed efallai i ambell bâr o draed eu cerdded yn hir. Nid olwynion o goed ond rhai o rwber a ddefnyddir yn awr a dim ond ychydig iawn o le i neb arall ar y ffyrdd ar wahân i'r cerbydau.

Cymdeithasu

Er ein bod yn byw mewn lle anghysbell, byddai'n lle difyr iawn yn yr haf, yn arbennig gan fod llawer iawn o berthnasau a ffrindiau y plant hynaf yn dod i fyny i'n gweld. Caent fwynhau pryd bach o'r bara cetel a chacen gri ar y radell. Roedd modd gwneud y rheiny yn sydyn wedi i'r ymwelwyr gyrraedd yn ddirybudd. Byddai rhai o'r bugeiliaid hefyd yn troi i mewn am baned o de a sgwrs, yr hyn a fyddai'n dderbyniol iawn ganddynt.

Niwl y mynydd

Roedd gan lawer o'r amaethwyr oedd yn byw yn y dyffryn ddefaid a borai ar y mynydd a byddai 'nhad yn edrych ar eu holau er mwyn ychwanegu at enillion y tyddyn. Byddai allan ar y mynydd lawer i adeg mewn tywydd garw – glaw, gwynt a niwl trwchus, yr hyn oedd yn beryglus iawn mewn corsydd a mawndir – ac er ei fod yn hynod o graff o'i lwybr os byddai llwybr defaid yn agos, gallai'r craffaf fynd ar gyfeiliorn mewn niwl. Niwl gwlyb gwyn yw niwl y mynydd, yn wahanol i niwl y trefi mawr a'r gwastadeddau. Gallwch wlychu at y croen pe heb gôt wlaw ac ni raid brysio i ymolchi ar ôl bod yn ei ganol ond yn unig chwilio am dywel i ymsychu.

Profiad chwerw iawn yw mynd ar goll mewn niwl, fel
sydd wedi digwydd o dro i dro. Mae cyn waethed â bod
ynghanol tywyllwch dudew. Cof gennyf glywed fy rhieni yn
dweud unwaith am berthynas wedi dod i'w gweld un noson.
Pan agorodd y drws i gychwyn am adref, roedd niwl wedi
gordoi y lle ac mae'n debyg ei bod yn dywyll eisoes.
Mentrodd gychwyn i lawr am ei gartref ac roedd ganddo yn
agos, os nad mwy, i filltir o fynydd i'w groesi cyn dod i
gyrraedd ffordd drol. Daliodd i fynd a mynd, gan feddwl fod
ei gamau yn mynd i'r iawn gyfeiriad. Ond ow, roedd wedi
gwneud cylch o'r siwrnai ac fe landiodd yn union yn y fan lle
roedd wedi cychwyn, er ei fawr syndod. Clawdd mynydd
Bron Haul roddodd ar ddeall iddo ble roedd y noson honno
a dilynodd y clawdd nes dod at lidiart oedd yn arwain at y tŷ.
Nid wyf yn cofio sut yr aeth adref os nad aeth fy nhad i'w
ddanfon gyda llusern a chymryd llwybr arall, sicrach, a oedd
yn arwain at lidiart mynydd Bryn Clochydd. Roedd hynny
yn haws ond yn llawer pellach. Bu f'ewythr Ifan (Llethr),
brawd fy mam, yn lwcus iawn y noson honno na fuasai un o'r
corsydd wedi ei draflyncu yn frawychus o ddirybudd.
Peidied neb â herio niwl, os na fydd rhwng dau glawdd.

Mae'n rhyfedd fel mae ambell i hanesyn bach cyffrous yn
glynu yn y cof a llawer i dro trwstan yn gymysg â throeon
hapus hefyd. A byddaf yn synnu'n aml fel mae rhai yn cofio
atgofion teirblwydd oed ond yn methu cofio aml i beth sydd
wedi digwydd yn ystod y misoedd diwethaf yma:

> Megis derwen yn y ddrycin
> saif atgofion bore oes.

Dysg

Wedi pasio pedair oed, roedd yn rhaid meddwl am ddysgu
rhywbeth – dysgu'r ABC a dysgu cyfrif i ddeg ac fel pob
plentyn arall, dysgu bod un ac un yn gwneud dau. Dysgu

darllen a dysgu ar y cof, yr hyn oedd yn hawdd iawn yn ôl a gofiaf, pan nad oedd dim arall i ymyrryd â'r meddwl.

Roeddwn yn darllen yn rhwydd erbyn cyrraedd pump oed ac roeddwn yn cael mynd i'r capel ambell i waith ond nid i'r ysgol ddyddiol. Siom fawr fyddai pe digwyddai fod yn Sul gwlyb ac i ni fethu mynd i'r capel a minnau wedi meistroli adnod fawr yn y ffordd oedd gennym i fesur adnod, sef llechen. Pensil garreg oedd gennym i ysgrifennu yr adeg hynny.

Roedd Mam yn ofalus iawn i'n rhoi ar hwyl i ddysgu drwy roi topline ar y llechen a gwneud syms bach hefyd. Bu brawd a chwaer hŷn na mi yn gymorth mawr, yn ogystal â Mam. A rhyngddynt, roeddwn wedi cael 'crap ar y llythrenne' chwedl Wil Bryan, cyn dechrau fy ysgol.

Cof da am y bore cyntaf yn y 'clasrwm' a'r ysgolfeistres yn rhoddi llechi i bawb o'r plant i ysgrifennu eu henwau arnynt. Daeth o amgylch wedyn i weld y canlyniadau ac er fy syndod, gafaelodd yn fy llechen i a'i dangos i'r plant. Aeth â hi o amgylch y dosbarth yn hamddenol a'r ystafell yn llawn y pryd hynny, gan ddweud wrthynt, 'Catherine Griffith – mae ganddi enw mawr hefyd'. Tipyn o froliant ond 'maddeua'm ffoledd am mai un o gofion mebyd yw'.

Hawdd gan y mwyafrif ohonom yw meddwl ac edrych yn ôl i'r llwybrau gynt gyda rhyw bleser a boddhad:

Byd dibryder, digymylau,
Byd heb awel groes –
O mor ddifyr ydyw dyddiau
Bore oes.

Wedi dechrau mynd i'r ysgol bob dydd cawn fynd i'r capel yn fwy aml hefyd a rhaid oedd dysgu ar gyfer y Sul – darllen y Rhodd Mam gan John Parry, Caer; Llyfr yr ABC ar gyfer yr Ysgol Sul a dysgu adnodau a phenillion. Roeddwn yn hoff iawn o'r llyfr emynau ac yn gallu dysgu pennill yn fwy rhwydd nag adnod am ei bod yn odli. Penillion pedair llinell fyddwn yn eu hoffi ac yn eu dysgu ond un tro, deuthum ar draws emyn a roddodd arswyd i mi am lawer blwyddyn, os nad hyd heddiw:

> Ai marw raid i mi
> A rhoi fy nghorff i lawr?
> A raid i'm henaid ofnus
> Ffoi i dragwyddoldeb mawr?

Ar ddamwain y deuthum ar draws yr emyn yma mor gynnar yn fy oes oherwydd fel arfer, roedd plant yn cael eu hannog i ddysgu penillion yn sôn am Iesu Grist, 'Bugail Israel sydd ofalus am ei dyner annwyl ŵyn ...' a llawer o rai tebyg.

Pedair ceiniog o wobr

Rwy'n cofio mynd i Steddfod y Calan am y tro cyntaf a chystadlu ar yr adrodd. Rwy'n meddwl fy mod newydd gael fy saith oed ac nid chwech. Nid darnau bach ysgafn fel sydd heddiw fyddai'r pwyllgor yn eu dewis yr adeg hynny ond pennill neu ddau am rywbeth nad oedd gennyf y syniad lleiaf am beth yr oeddynt yn sôn. Dyma enghraifft o un:

> Ysgafnach filwaith fydd y Groes
> O ddechrau'i chario fore oes
> Fe dyf yr ysgwydd dani hi
> A daw yn rhan ohonom ni.

Ond deall neu beidio, llwyddais i ennill pedair ceiniog o wobr a churo chwaer hŷn na mi. Nid oeddwn yn cael aros i gyfarfod y nos a rhaid oedd cychwyn adref wrthyf fy hun a llenni'r nos yn disgyn, y pedair ceiniog yn fy llaw. Roeddwn yn methu cyrraedd adref yn ddigon buan i ddweud y newydd wrth fy rhieni ac wedi dod i adnabod llwybr y mynydd yn bur dda. Roedd hi'n noson braf ac roedd y wobr yn helpu ac yn ddigon o gwmni ar y daith.

Y Llan

Wedi dechrau ar fy ysgol, buan y deuthum yn gyfarwydd â thrigolion y pentref yn y dyffryn islaw. Byddai plant yr ysgol yn cael mynd i Gyfarfod Diolchgarwch yr eglwys yn y prynhawn a byddai eisiau gwisgo'n well y diwrnod hwnnw yn ôl gorchymyn yr ysgolfeistr y diwrnod cynt. Roedd hynny wrth ein bodd – cael mwynhau gwasanaeth yr eglwys a byddai amryw o Langernyw yn dod i fyny hefyd a'r lle yn llawn. Roedd eglwys y plwyf yn adeilad hynafol iawn ac mae hi yno o hyd, a'r cerrig beddau yn hŷn na hynny gan fod yr ysgrifen ar rai ohonynt yn annealladwy.

Yr ysgol

Roedd ysgol Gwytherin yn gymharol newydd ac roedd fy nhad yn un o'r rhai a oedd wedi bod yn cario cerrig at ei hadeiladu. Roedd hynny'n brawf o'i hoed. Nid oedd ysgol yno cynt ac i ysgol Pandy Tudur yr aethai ef o'i gartref to gwellt yn Cornwal Fatw. John Price oedd yr ysgolfeistr a byr oedd tymor ysgol i'r rhan fwyaf yr adeg hynny. Dechrau efallai yn saith oed a 'madael yn ddeuddeg. Rhaid oedd troi allan i'r byd i ddechrau ennill tamaid ar ôl hynny – doedd dim dewis.

Y daith ddyddiol

Roedd yn agos i ddwy filltir o daith un ffordd i'r ysgol i ni ac roedd rhai plant gyda thair milltir a mwy. Byddwn yn gorfod cychwyn yn gynt na'r lleill; cael 'start' fel y byddem yn ei ddweud, gan fod y cam yn fyrrach.

Rwy'n cofio un bore cael fy nghychwyn ar fy mhen fy hun a'r gwynt yn gryf. Roedd y ffordd yn wastad ar ôl gadael y tŷ ond, wedi dod drwy'r llidiart i'r mynydd, roedd yn rhaid dringo bryn bychan. Pan gyrhaeddais i ben y bryn, cefais dipyn o fraw; y gwynt cryf yn cymryd fy anadl ac yn fy rhwystro i fynd ymlaen. Meddyliais ei bod ar ben arnaf. Trwy orfod, troais wysg fy nghefn gan aros i'r plant eraill fy nghyrraedd. Peth gwerthfawr yw cael cwmni mewn storm.

Roedd teulu arall yn byw yn agos iawn atom gyda dim ond llain o fynydd rhyngom. Pant-y-foty oedd yr enw – fferm debyg o ran mesur ac i'w gweld yno hyd heddiw yn siŵr. Ond am Bron Haul, dim ond 'lle bu' yw ei hanes fel y gallaf gasglu. Gobeithio fod yno swpyn bach o gerrig i'w gadw rhag llwyr anghofio ei hun. Tybed a yw'r coed mawr oedd yn tyfu o flaen y tŷ yno heddiw?

> Fel y bwth o flaen y mynydd
> Lle chwaraem pan yn blant.

Dyna oedd mangre gysegredig i mi.

Fel y soniais eisoes, dim ond y ddau deulu yma oedd yn byw yn y rhan hon o Wytherin ac eithrio dwy fferm ar y gwaelod, Dolfadyn a Bryn Clochydd. Yn rhyfedd iawn, gallem ni a phlant Pant-y-foty weld ein gilydd pan oeddem yn cychwyn i'r ysgol o'r naill fuarth i'r llall ond unwaith yr oeddem ar y mynydd, ni welem ein gilydd am tua hanner milltir. Roedd bryncyn rhwng y ddau lwybr oedd yn cyd-gyfarfod wrth lidiart y mynydd. O honno, cyd-gerddem gyda'n gilydd i lawr y ffordd drol eithaf caled tuag at waelod y dyffryn a'r Llan. Dyma'r ffordd y byddai pobl yn ei defnyddio i gario mawn, brwyn, eithin ac weithiau rug o'r mynydd.

Un bore pan oeddem yn mynd yn sionc i lawr y ffordd, wyth ohonom rhwng y ddau deulu, dyma ni'n gweld neidr ar lawr. Roedd hi'n ffordd ddigon cul a dyma fy mrawd John a bachgen arall (yr unig fechgyn yn y criw) yn chwilio am gerrig mawr i'w taflu arni. Ac fe lwyddasant i ladd y creadur gwenwynllyd mewn dim o dro. Aethant â hi i'r ysgol er mwyn dangos i'r ysgolfeistr y gwrhydri yr oeddent wedi ei gyflawni.

Afon Cledwen
Ambell dro ar ein ffordd adref o'r ysgol, daethai i ben y bechgyn i chwarae 'llwynog bach'. Nid oeddwn yn deall y chwarae hwnnw gan mai gêm bechgyn ydoedd. Fodd bynnag, dringodd fy mrawd John i ben coeden yn nant Bryn Clochydd a syrthio i'r gwaelod. Dyna lle'r oedd o'n gweiddi ac yn crio gan fethu dod i fyny ac erbyn y diwedd roedd pawb ohonom yn crio. Ond fe fentrodd un o enethod Pant-y-foty i lawr i geisio'i helpu a llwyddodd i'w gael i fyny. Nis gwn pa fodd a hithau'n llai na fo. Roedd gwaed ar ei wyneb a'i wefus wedi chwyddo'n fawr. Rhwygwyd ei ddillad fel na allai fynd i'r ysgol drannoeth, druan ohono. Buasai wedi bod yn llawer haws i ni fynd i ofyn am help gan y dynion ym Mryn Clochydd ond mae'n debyg bod arnom ofn cael cerydd.

Wedi dod o'r mynydd i'r ffriddoedd, roedd yna olygfa hardd o'r dyffryn cul yn y pant islaw ac afon Cledwen yn llifo'n dawel tua'r Llan. Mae tarddle'r hen afon ar wyneb moel y mynydd yng nghors Grianog heb fod ymhell o Ddolfrwynog:

> Deil i lifo fesul llathen
> Rhwng y grug dan des yr heulwen.

Mae aml i fân aberoedd wedi ymuno â hi erbyn iddi ddod i lawr i'r dyffryn coediog. Fel y mae'n ennill nerth, gall fod o wasanaeth amhrisiadwy i ddyn ac anifail – i'r felin wlân a'r felin flawd, yn enwedig yn yr oes honno. Hon oedd afon fy mhlentyndod, yr un y cefais ymdrochi yn ei dŵr. Byddai'r bechgyn yn pysgota â'u dwylaw yn ei dyfroedd o dan bont bren Dolfadyn gan fethu dychwelyd mewn pryd i'r ysgol – i wynebu storm arall.

Swyn y gloch
Yn ystod fy mhlentyndod, nid oedd tân diwygiad Evan Roberts wedi llwyr ddiffodd ac roedd cyrchu mawr am y capel a'r eglwys. Cenid cloch yr eglwys deirgwaith ar y Sul am chwarter awr bob tro. Byddaf yn meddwl yn aml fel yr hoffwn glywed tinc y gloch a'r taerineb yn ei galw, galw, galw a ninnau'n ymlwybro i lawr o'r mynydd i'r Llan a'r sŵn yn atsain drwy'r pant.

Gadael Bron Haul
Cyn i mi gyrraedd fy wyth oed (1907) daeth newid byd i'n hanes drwy i'n rhieni gymryd fferm ddwy filltir a hanner i lawr o'r mynydd o'r enw Ty'n Ddôl. Dyma'r adeg wedi dod i ni ffarwelio â'r hen ddyddyn a'r bwthyn bach diaddurn. Gadael mangre'r grug a'r eithin, y brwyn a'r rhedyn a'r libart:

> Lle mae'r hedydd bach a'r dryw
> Ac adar mân y grug yn byw.

A chyn gadael godre Hiraethog yn y cyfnod caled, yn gynnar yn yr ugeinfed ganrif, prysuraf i ddweud na fu ein cwpwrdd erioed yn wag. Ni ddaeth erioed i'n rhan 'roi angen un rhwng y naw' drwy drugaredd Duw a gofal ein rhieni. Nid oedd y tlodi yn ddim i'w gymharu â'r hyn ydoedd ddwy a thair cenhedlaeth ynghynt, fel y mae Hugh Evans torcalonnus yn sôn amdano yn ei lyfr *Cwm Eithin*. Na, dim ond diolch oedd ein lle. Yr hen gerrig beddau sy'n ein hysbysu cymaint o farwolaethau oedd yn y cyfnod hwnnw. Afiechydon heintus nad oedd modd eu gwella. Gorthrwm a thlodi yn ysbeilio gwaed ifanc gan achosi rhoddi llawer i wyneb glân dan bridd. Roedd pethau wedi dechrau gwella cyn troad y ganrif a hynny yn sgil addysg ac wedi para i wella hyd heddiw, diolch am hynny.

Ty'n Ddôl

Er ein bod yn symud megis o'r hafod i'r hendre, nid oedd angen i ni godi ein gwreiddiau o gwbl. Yr un oedd ein capel, yr un ysgol a'r un rhai oedd ein ffrindiau ond nid yr un ffordd i ymgyrchu atynt. Caem yn awr ffordd galed i'r ysgol, rhwng dau glawdd o gyfeiriad Llansannan, tipyn amgenach na llwybr y mynydd lle nad oedd ond cysgod cawnen i'w gael. Er hynny, hwn oedd y llwybr cyntaf a droediais.

Roedd fferm Ty'n Ddôl deirgwaith cymaint â thyddyn mynyddig Bron Haul ac o ganlyniad, roedd angen treblu'r anifeiliaid a phrynu offer i arloesi a braenaru'r tir, yr hyn a wnaed yn ôl fel roedd amgylchiadau yn caniatáu. Roedd gobaith codi llawer mwy o gynnyrch yn y gwaelodion ond golygodd hynny lawer iawn o lafur a chafodd 'nhad weithiwr da i'w helpu.

Roedd yr amaethwr oedd yno o'n blaenau, a'i dad o'i flaen yntau o bosib, wedi esgeuluso'r fferm yn llwyr; gwastraff amser ac ynni. Mae gwastraff yn bechod ym mhob rhyw fodd ond mae gwastraffu amser yn fwy o bechod fel y dywed Morgan Llwyd:

> Amser dyn yw ei gynhysaeth
> A gwae â'i gwario'n ofer.

Wedi i 'nhad adael ei ffon, ei ddefaid a'i fynydd, fe ymrôdd i amaethu – 'trwy chwys dy wyneb y bwytei fara' – ac er bod y cyngor yn ymddangos yn un creulon, dyna'r gorchymyn i Adda ac i bawb o'i blant.

Athroniaethau

Roedd fy rhieni yn adnabod eu cymdogion newydd i gyd a'r oll ohonynt yn barod iawn i gynnig help. Meddent y ddawn brin honno i 'nabod pobl' – gweld trwyddyn nhw, fel y byddent hwy yn ei ddweud. Carent fod yn gyfeillgar â phawb ac ni fynnent ymrafaelio. Pe byddai ambell un yn anhydrin, fel sy'n digwydd weithiau, 'cadw hyd braich' fyddai eu dywediad. Dro arall, pan welent rywun fyddai'n gadael i'r llinyn fynd yn rhy dynn, dyma a ddywedent – 'peryg i'r llinyn dorri'.

Byddent yn ofalus iawn am beth y siaradent yn ein gŵydd ni pan oeddem yn blant, rhag ofn i ni ailadrodd ac ni fyddem byth yn cael ein canmol chwaith rhag iddo godi i'n pen. Roeddent yn gryf ar synnwyr y fawd.

Roedd un peth yn ein boddhau yn fawr wedi symyd o'r mynydd i fyw, sef dod i ymyl capel bychan Cae'r Graig o fewn rhyw ddeg canllath i'r fferm; cangen o gapel Gwytherin ydoedd, a ninnau wedi arfer cyn hynny gyda'r pellter ffordd. Ond roedd y ffordd i'r ysgol yn y Llan yn ddwy filltir ar i fyny ac ar i waered bob yn ail. Byddai llawer o dramwyo arni o gyfeiriad Llansannan.

O sôn am ddiffeithwch Ty'n Ddôl, roedd yn llafur caled i arloesi'r tir oherwydd roedd saith o ffriddoedd mawr o dan eithin o gwmpas y fferm, pan nad oedd ond caib a rhaw a batoc at y gwaith. Ymhen rhyw bum neu chwe blynedd, roedd pob llathen wedi dod yn glir i'w aredig ac fe godwyd cnydau toreithiog. Pa ryfedd a'r tir wedi diogi a chael bod yn segur am lawer blwyddyn. Roedd 'nhad yn gwerthfawrogi cael tir da i'w amaethu, er nad ydoedd ond deiliad ac nid tirfeddiannwr. Dywedir fod dyn a'i dir yn glòs.

Gwaed mochyn Bryn Tân

Roedd Rhyfel y Degwm yn boeth iawn ar ddiwedd y bedwaredd ganrif ar bymtheg pan oedd Eglwys Loegr yn gwrthwynebu'r Ymneilltuwyr. Byddai'r swyddogion yn dod o bellter ffordd i bob cilfach a llan gyda hen bobl ddiniwed a thlawd yn crynu gan ofn.

Rwy'n cofio clywed hanesyn am hen wraig o'r Llan ddarfu feddwl sut i gael y llaw uchaf arnynt. Digwyddodd fod yn ddiwrnod lladd mochyn yn fferm Bryn Tân a chlywodd y wreigan y sgrechiadau o'i thŷ yn y Llan. Aeth i fyny ar ei hunion gan drochi ei dwylo yn y gwaed. Sychodd hwy yn ei ffedog ac adref â hi. Daeth y gelynion at ei drws ond fe'u bygythiwyd gan Elin Wilias gan ddweud, 'Rydw i wedi lladd un dyn y bore 'ma ac mi laddaf i chwithau hefyd os nad ewch oddi yma, y diawliaid brwnt'. Dyna waed y mochyn wedi dychryn y gwrthwynebwyr a chadw croen yr hen wraig yn iach. Rwy'n ei chofio'n dda; cymeriad hynod.

Mae llawer o hen hanesion yn perthyn i ardaloedd cefn gwlad Cymru, er bod mwyafrif helaeth y trigolion yn anllythrennog. Roedd ganddynt ryw ffraethineb ac fe feddent ar y gallu i greu hiwmor. Pe deuai rhywun i'n cartref fin nos am dro a dechrau dweud hanesion, byddem fel plant yn cael modd i fyw.

Blas ar ddysgu go iawn
Cawn droi yn ôl at yr ysgol unwaith eto. Er fy mod yn chwech oed yn dechrau, nid wyf yn meddwl fod hynny wedi amharu fawr arnaf. Cofiaf yn awr fod plant yr un oedran â mi a oedd yn byw yn y Llan ac wedi dechrau'n dair oed dim ond un dosbarth yn uwch na mi. Athrawes oedd gennym yn y 'clasrwm' ond wedi symud i safon dau a thri, roedd dyn ifanc o'r enw Arthur Jones, mab y diweddar Thomas Jones, Cerrigelltgwm, yn ein dysgu. Dyn ifanc dymunol ac addawol nes y galwyd ef i'r fyddin yn 1914. Syrthiodd yn aberth dros ei wlad. Y prifathro oedd yn cymryd o safon pedwar i fyny. Rhaid i mi ddweud fy mod erbyn hynny wedi dod i gael blas ar ddysgu go iawn, ond ar yr un pryd wedi mwynhau pob

munud dan ddysgeidiaeth Arthur Jones. Yn naturiol, os na fydd plentyn wedi llwyddo i ddysgu tipyn cyn cyrraedd y deg i ddeuddeg oed, gobaith gwan sydd wedyn.

David Jones, yr athro perffaith

Roedd David Jones, y prifathro, yn athro tan gamp, yn ddyn crwn ac yn gwybod tipyn am bopeth. Daeth o Goleg y Normal tua 1903 fel amryw o rai tebyg, ond i ni, doedd neb tebyg iddo.

I ddechrau'r bore roedd canu, adrodd 'Gweddi'r Arglwydd' ac yna wers o'r Beibl. Darllen rhan helaeth ac yna gwnâi yntau esbonio ac egluro pob adnod a fyddem wedi eu darllen. Cymerai lyfr o'i gwr i'r Hen Destament.

Cofiaf yn dda pan y dechreuodd ein dysgu i wneud syms 'fractions' mewn ffordd llawer byrrach na'r 'long multiplication' fyddai'n cyrraedd o dop y ddalen i'r gwaelod.

Dysgem lawer o farddoniaeth yn Gymraeg a Saesneg. Byddai'n eu sgwennu ar y bwrdd du bob yn rhannau a byddem ninnau'n eu codi i'n llyfrau a'u dysgu ar y cof. Ei arwyr ymysg y beirdd oedd Dafydd ap Gwilym, Goronwy Owen, Eben Fardd, Gwilym Hiraethog, Eifion Wyn a Ceiriog. Ymysg y beirdd Saesneg roedd Thomas Gray, Tennyson, Wordsworth, Longfellow a Burns.

Roedd David Jones wedi dysgu'r cynganeddion yn drwyadl a dyna'r tro cyntaf i mi glywed am y grefft hon. Roedd o'n hoff iawn o ofyn imi adrodd darnau o 'Awdl Heddwch' neu 'Dinistr Jerusalem', yn enwedig yr olaf. Yn wir, roeddwn wedi mynd yn y diwedd i deimlo y buaswn yn hoffi gwrthod gan fod gennyf ofn i'r plant wneud gwawd o'r peth wrth adrodd yr un hen beth. Ond pwy fuasai'n meiddio anufuddhau i un fel David Jones? A chwarae teg iddo, rwyf wedi deall erbyn hyn, ond yn ddiweddar iawn hefyd, pan ddois ar draws fy hen lyfr barddoniaeth. Dechreuais rifo'r llinellau oedd yn y darn; saith deg pedair gyda geiriau mawr ynddynt a'r gynghanedd yn clecian. Roedd yn glod iddo yntau i mi fedru meistroli'r darn yn berffaith a hynny cyn cyrraedd deuddeg oed. Nid oeddwn yn meddwl dim y pryd hynny.

Mae ein dyled yn fawr i David Jones. Roedd yn feistr ar bob pwnc ac fe ddysgai'r bechgyn sut i fesur tir gyda chadwyn gan y gwyddai'n dda sut i amaethu. Gwyddai beth oedd anifail da ac roedd yn arddwr tan gamp gan ddysgu'r bechgyn yn y pwnc, pawb a'i blot. Yn aml deuai pobl ato gyda ffurflenni i'w llenwi. Pwy all fesur maint ein dyled iddo? Roedd yn gerddor gwych yn ogystal, gyda llais tenor persain a gallai chwarae'r organ a chanu'r ffidil. Roedd yn athro Ysgol Sul di-ail ac yn flaenor yng Nghapel Siloh, Gwytherin. Roedd yn weithgar yn y 'Band of Hope', y cyfarfod darllen, y ddrama a'r steddfod. Doedd o byth yn absennol ar y Sul a bron nad oedd yn gwneud gwaith gweinidog yn ogystal â phrifathro.

Tua phedwar ugain o blant oedd yn yr ysgol bryd hynny – ysgol lawn – ac mi roedd David Jones yn flin na fuasai fy mrawd hynaf a'i ffrind, Gwyndaf Morris, wedi cael cario ymlaen yn yr ysgol. Roeddent yn ysgolheigion gwych ac yn gorfod ymadael yn dair ar ddeg oed. Symudodd i Ysgol Llanrwst ynghanol y dauddegau ond torrodd ei iechyd a bu farw yn y tridegau.

Gosod sylfeini

Roedd y capeli'n llawn yr adeg hynny ym mhob tref, llan a phentref a byddai'r trigolion yn dod gyda'u llusernau o leoedd diarffordd i oedfa'r hwyr. Byddai capel Gwytherin yn llawn haf a gaeaf; pob sedd yn llawn a hyd yn ddiweddar, roeddwn yn gallu enwi pwy oedd yn eistedd ym mhob sedd ond nis gallaf yn awr; triciau'r cof eto.

Roedd oedfa'n para'n llawer hirach nag y maent heddiw gan y pregethai ambell i bregethwr am awr. Er nad oeddwn ond ieuanc, teimlwn awyrgylch hyfryd mewn capel, er na allwn gofio a deall ond ychydig iawn. Gallesid yn hawdd ofyn pa ddiben oedd i blant gerdded milltiroedd o ffordd i wrando ar yr hyn nad oeddent yn ei ddeall. Ond nid dyddiau deall oeddent ond dyddiau gosod sylfeini deall. Dyddiau dechrau dod i adnabod yr Un y mae ei addoli'n gyfrwng i bob deall.

Llwybrau euraid

Ni ddylid bod yn amheus a di-hid o'r dechrau hwn. Ble mae'r plant heddiw? Roedd Gwytherin yn bentref bach bywiog a phrysur ers talwm ac mae newid mawr ers hynny. Roedd gefail y gof yn gyrchfan i lawer iawn o bobl yr ardal. Yno y byddai'r gof yn ei chwys a'i faw 'yn chwythu ei dân, dan chwibanu'. Chwaraem ninnau'n hapus ddigon yn sŵn tinc y morthwyl yn curo'r engan. Dro arall, aem i fusnesu i weithdy'r saer a'r siafins gwyn yn suo o dan ein traed. Mynd i lawr at y felin nawr ac yn y man ac edrych yn syn ar yr hen olwyn fawr yn rhyw drwsgl droi. Troi i mewn i'r odyn grasu wedyn gan arogli'r bara ffres a chael ymdwymo'n dwylo o dan yr odyn wrth gael sgwrs fach â'r hen graswr. Picied i goed Tyddyn Deicws i hel cnau pan fyddent yn barod ... roedd amryw ffyrdd o dreulio'r awr ganol dydd.

Erbyn hyn mae sŵn yr engan wedi tewi, mwg yr odyn wedi peidio a dim ond yr hen felin yn aros 'heb yno neb yn malu'. Ac yn fwy trist na'r cyfan, yr ysgol wedi cau. Unedau mawr sy'n bonllefain heddiw gan wanhau bywyd cymdeithasol y pentrefi bychain, pentrefi oedd yn fwrlwm o weithgarwch a diwylliant ganrif ynghynt. Dyna fel y mae'r rhod yn troi.

Do, cefais fagwraeth werth chweil mewn ardal ddifyr – Gwytherin ar Fynydd Hiraethog. Llwybrau euraid oedd 'Fy Llwybrau Gynt'.

Atgofion

gan Lloyd Jones

Atgofion plentyn sydd gen i o Fron Haul. Lle mewn breuddwyd ydi o erbyn hyn. Rwy'n teimlo fel pe bawn i'n deffro o anesthetig trwm bob tro yr af yno; rwy'n methu cyferbynnu y Bron Haul sy'n bodoli heddiw efo'r Bron Haul hwnnw y bûm yn rhodio ynddo fel hogyn ifanc.

Pan safaf yno heddiw rwy'n teimlo fel pe bawn i'n un o'r cymeriadau gynt sydd wedi camu allan o hen lun sepia i edrych ar fyd hollol newydd; er bod gwartheg a defaid yn pori ar hyd y clwt brwynog hwn, sy'n rhan o Gymru gyfoes, does dim byd yn digwydd o flaen fy llygaid chwaith. Clywaf hen leisiau ar y gwynt a chyfarth hen gŵn a aethant i ebargofiant ers talwm.

Ynys yw Bron Haul, ynys o dir ym mrwyn a grug y mynydd. Ynys fel Gwales; ynys y bûm yn treulio blynyddoedd maith arni yn gwledda. A phan agorwyd y drws tyngedfennol hwnnw bu raid mynd oddi yno, i'r byd mawr y tu hwnt i ffiniau Mynydd Hiraethog.

Dewch yn ôl gyda mi i'r ardal brydferth hon ym mhumdegau'r ganrif ddiwethaf. Roedd Cymru wedi bod yn cysgu am ganrifoedd ar wely'r Oesoedd Canol, gyda deffroad byr yma a thraw ond heb fawr o newid chwaith. Cefais fy ngeni ar drothwy'r byd newydd hwn sydd ohoni, ond roedd ardal Gwytherin yn perthyn i'r hen fyd o hyd. Roedd tystion mud i'r henfyd ym mhobman: coleri'r wedd yn crogi oddi ar hen hoelion mawr rhydlyd yn y stabal; dwy hen faedda yn y granar, gydag arogl rhyfedd hen fenyn ynddynt; hen gertiau yn y cytiau, gyda'r pry wedi bwyta drwyddynt. A dyna i chwi y gribin a'r oga yn cael eu llusgo gan y tractor cyntaf yn y cwm (yn ôl honiad fy nhad) – hen daclau'r wedd oedd y rheiny, wedi eu haddasu.

Ym Mryn Clochydd roeddem yn nôl dŵr o'r ffynnon ac yn mynd i dŷ bach o dan y coed eirin yng ngwaelod yr ardd ac ynddo ddau dwll – un i'r tinau mawr a'r llall i'r tinau bach. Defnyddid hen bapur newydd soeglyd i orffen y ddefod. Canhwyllau a 'tilley lamp' oedd yn goleuo'r tŷ gyda'r nos. Llanwyd hen fath sinc oer bob hyn a hyn i'n golchi, ond cael fy rhoi i sefyll yn sinc y gegin oeddwn i ran amlaf i gael 'strip wash'.

Roedd ystafell arbennig wrth ddrws y tŷ wedi'i leinio efo llechi mawr oer i gadw'r llefrith a'r menyn yn oer. Yno hefyd roedd fy nhad yn gwahanu'r mêl o'r diliau. Doedd bron iawn neb wedi clywed am *fridge* nac oergell bryd hynny; cadwyd y bwyd bregus mewn sêff – cwpwrdd pren gwyrdd ar goesau hir (rhag llygod) efo gorchudd haearn tyllog dros ei wyneb fel *veil* dynes. Yn yr oes honno, cyn DDT, roedd y tŷ yn bla o bryfed ac roedd pob ystafell wedi ei haddurno â rhubanau o bapur gludiog yn disgyn o'r nenfwd fel addurniadau Nadolig; un o'm difyrion fel plentyn oedd cyfri'r pryfed a oedd wedi'u dal ar y papur glud, cannoedd ohonynt. Ia, wel, doedd 'na ddim teledu na chyfrifiadur bryd hynny.

Doedd 'na ddim letrig nes i 'nhad naddu llyn yn y nant uwchben y fferm a gosod pibelli i lawr gyda tyrbein dŵr yn y gwaelod yn cynhyrchu letrig gwan. Doedd 'na ddim digon o wmff yn y tyrbein hwn i gynnal *fridge* ond prynodd fy nhad hen deledu 'bakelite' ac wedi iddo osod gwe pry cop o bibelli copr ar hyd a lled yr ardd fel *ariel*, buom ill dau yn sefyll o flaen cawod o eira ar y sgrîn am noson neu ddwy cyn rhoi'r gorau iddi. Roedd y sain yn cyrraedd Gwytherin ond nid y llun; rwy'n cofio gwrando'n astud ar thema 'Harry Lime'; roedd clywed y rhaglen heb weld dim byd yn wefreiddiol ac mae'r miwsig yn dal i godi croen gŵydd hyd heddiw. Bu'r teledu yn sefyll yno am hydoedd, i goffáu ein ffolineb. Roedd mwy nag un radio 'bakelite' yn sefyllian o gwmpas y lle ac roeddwn yn hoff o wylio'r falfiau melynwyn yn wincio oddi mewn i'r teclyn, a chwarae efo'r deialau, gan fynd o orsaf i orsaf – y BBC Home Service, Hilversum, Warsaw, Athlone, Luxembourg – roedd yr enwau eu hunain yn gyfriniol ac roedd yr ieithoedd yn hudolus; awn o un orsaf i'r llall yn gwrando ar y lleisau diystyr, fel pe bawn yn gwrando ar ddynion bach gwyrdd o'r gofod yn cyrraedd.

Os oedd unrhyw beth yn mynd o'i le ar y tyrbein roedd yn rhaid i mi fynd i lawr i'r nant i'w drwsio, a dyna'r unig olchfa iawn a gawn i drwy'r flwyddyn, gan fy mod i'n sicr o ddod o 'na yn wlyb at fy nghroen. Roedd *ampage* y letrig mor isel fel y gellid newid plygiau ac ati heb ddiffodd y tyrbein. A minnau'n hogyn ifanc beiddgar, teimlwn fel Frankenstein bod tro y gwnawn rywbeth efo'r letrig ymlaen, gan fod gwefr drydanol yn gwibio i fyny ac i lawr fy nghorff drwy'r amser.

Duw a ŵyr sut na chefais fy lladd yn y cyfnod hwnnw. Roedd fy nhad, a oedd yn alcoholig rhonc, wedi rhoi cymaint o gweiriau i Mam nes iddi fynd oddi acw pan oeddwn i tua saith oed. Yn y gyflafan deuluol a ddilynodd penderfynais i aros ar y fferm efo 'nhad, tra aeth fy hanner chwaer Eurwen a'm brawd Dafydd i fyw efo Mam ym Mhandy Tudur, dair milltir i ffwrdd. Welais i mo Mam am ddeng mlynedd wedyn (er iddi ddweud wrthyf rywdro ein bod ni wedi cyfarfod yn annisgwyl un Nadolig yn Woolworths y Rhyl, ond fy mod i wedi cael cymaint o fraw nes imi ei heglu hi o 'na heb ddweud gair wrthi).

Mam druan. Ar ôl plentyndod perffaith yn ardal Llansannan aeth i weini yn Lloegr. Doedd ei gŵr cyntaf fawr o iws a bu farw eu plentyn cyntaf yn grwt, cyn diwedd y briodas. Yna, ar ôl iddi symud i Wytherin i weini ym Mryn Clochydd, eginodd cariad rhyngddi hi a 'nhad a ganed dau fab iddynt. Ond trodd 'nhad at y botel ac oddi yno bu'n 'angel pen ffordd, cythraul pen pentan' hyd ei ddiwrnod olaf. Disgrifiodd Mam achlysur tyngedfennol pan ddarganfu botel o wisgi wedi ei chuddio yn y cloc mawr.

Does neb yn gwybod pam. Dydw innau chwaith ddim yn siŵr pam yr arhosais ar y fferm; pitîo fy nhad oeddwn, rwy'n amau. Mae gen i frith gof o Mam yn cyrraedd buarth y fferm mewn tacsi i nôl Dafydd fy mrawd a minnau oddi yno tra oedd fy nhad yn yr ysbyty a modryb yn ein gwarchod (roedd Mam wedi bod yn wael hefyd). Aeth Dafydd i mewn i'r cerbyd a cherddais innau i lawr y buarth a sefais ar y domen ludw; yn y fan honno y gwnes i'r penderfyniad mwyaf tyngedfennol yn fy mywyd – sef i aros efo 'nhad. Roeddwn i'n saith mlwydd oed ac roedd llawer wedi digwydd yn fy mywyd yn barod. Am flwyddyn cyn hynny roeddwn i wedi bod yn glaf yn Ysbyty Gobowen yn Sir Amwythig efo gwendid sy'n effeithio'r glun ac yn cloffi plant. Bûm ar fy nghefn, wedi fy strapio ar ffrâm ddur a lledr, am fisoedd lawer. Pan es i yno doeddwn i ddim yn medru gair o Saesneg; bu'n rhaid anfon am nyrs Gymraeg o Wrecsam i edrych ar f'ôl. Pan ddychwelais i adref roeddwn i wedi colli fy Nghymraeg, meddan nhw!

Dyna sut ydw i'n cofio pethau, hanner can mlynedd wedyn. Does neb yn gwybod yn iawn beth ddigwyddodd. Mae hyn oll yn bell iawn yn ôl ac er i mi fyw bywyd eithaf normal, roedd 'na ryw dyndra y tu mewn i mi mae'n rhaid oherwydd mi es i'n wael iawn fy hun pan oeddwn yn hanner cant oed a bu bron i mi farw oherwydd gwaeledd meddwl a'r ddiod feddwol. Yn ffodus iawn doeddwn i byth yn gas yn fy niod.

Roedd 'nhad yn gythraul drwg efo'r wisgi. Mae hi'n hen, hen stori. Yr atgof cyntaf sydd gen i yw sefyll ar ben y buarth efo fy mrawd, a ninnau'n ifanc iawn, yn gwrando ar uffern o ffrae yn dod o'r tŷ. Yna fe ddaeth Johnie Roberts y Post yn ei Morris Minor i roi terfyn ar bethau. Erbyn hynny roedd Mam druan, wedi ei gyrru'n wirion, wedi torri trwyn fy nhad efo'r badell ffrio. Pwy 'sa'n gweld bai arni; roedd o wedi ei cholbio hi droeon. Mae fy hanner chwaer yn cofio dod adref un nos Wener (roedd hi'n aros efo'i hewythr a'i modryb Harry a Nans, rhieni y deuawd enwog Emyr ac Elwyn, yn Llanrwst yn ystod yr wythnos) a doedd hi ddim yn nabod Mam oherwydd yr olwg oedd arni. Dyddiau difyr yn wir.

Diwedd y gân oedd i mi aros efo 'nhad ar ôl y rhwyg teuluol, gan fyw fel anifail gwyllt. Ond, bûm yn lwcus iawn oherwydd bod gen i andros o deulu da a bu fy modryb Catherine yn arbennig o ffeind. Deuthum i ail-nabod Mam, a fu farw yn ddiweddar yn 97 oed, pan oeddwn yn ddyn ifanc ac mi fwynheais ail blentyndod (llawer iawn mwy llwyddiannus) yn ei chwmni wedi i mi gyrraedd fy hanner cant, ar ôl i mi gael clamp o 'breakdown'. Daethom yn ffrindiau mawr, yn meddwl y byd o'n gilydd. Mae'n deg dweud, rwy'n meddwl, fod y 'breakdown' hwnnw wedi dod ag Eurwen a minnau'n nes hefyd.

Bu Dafydd a mi yn frodyr agos ar hyd ein hoes a'r peth rhyfedd yw ein bod ni mor debyg, er mor wahanol ein magwraeth; y fi yn byw fel canibal bach ar 'ynys' anghysbell efo 'nhad a fo wedi ei fagu mewn tŷ dedwydd, taclus efo Mam. Efallai fod Dafydd ychydig bach callach a mwy medrus na fi ond yr un natur sydd inni'n dau, yr un agwedd tua'r byd a'r un llais sydd gennym. Gweithio efo cyfrifiaduron i gwmni *Cadbury's* mae Dafydd, yn byw yn Birmingham efo'i wraig Liz. Mae ganddynt dri o blant wedi 'madael â'r nyth bellach a llwyddodd yntau hefyd i dorri cwys newydd – mae o wedi bod yn dad ardderchog.

Dyma i chi ambell ddigwyddiad o'r bywyd anhrefnus a pheryglus dreuliais i ar y fferm bryd hynny. Roedd 'nhad yn rhy chwil i weithio gan amlaf ac fe ddeffrai fi cyn codi cŵn Caer – am bump o'r gloch reit amal – i odro ac ati cyn mynd i'r ysgol.

Anaml iawn y byddwn i'n mynd i'r ysgol ar ddydd Llun, gan mai dyna ddiwrnod y farchnad yn Abergele. Diwrnod i'r brenin oedd hwnnw i mi, fel llawer i un arall. Ar ôl rhoi'r ŵyn yn eu corlan yn Abergele aem ill dau i gael panad a brechdan ham efo mwstard yn y gegin werdd (uned symudol) yn y farchnad. Yna âi 'nhad ar ei ben i'r *Bee Hotel* am ei drochiad cyntaf o wisgi y diwrnod hwnnw. Mi fyddai'n chwarae mig efo fi am weddill y dydd, yn picio o un tŷ tafarn i'r llall fel chwannen tan yn hwyr yn y dydd (fe adawai i mi ei ffeindio yn yr *Hesketh*, ym mhen draw'r dref, pan oedd hi'n nosi). Os ydw i'n cofio'n iawn doedd o ddim yn rhoi pres i mi ond roedd o'n rhoi'r llyfr *child allowance* yn fy llaw ac fe awn i ar fy mhen fy hun i'r swyddfa bost i nôl yr arian. Wn i ddim a yw hwn yn gof dilys; dydi o ddim yn swnio'n bosib, rhywsut. Mae gen i gof niwlog o rhywun yn y swyddfa yn stampio'r llyfr a rhoi deg a chwech i mi bob wythnos. Dichon mai rhamant yw hyn, gan fod cof rhywun yn chwarae cymaint o driciau.

Yna aem adref, gan alw yn y tafarndai ar y ffordd, fel pe baem mewn hen goets fawr yn newid ceffylau. Ein 'watering hole' cyntaf oedd y *Stag* yn Llangernyw, a thra oedd 'nhad yn malu awyr ac yn mesmereiddio pawb yn y fan sanctaidd honno (roedd pawb yn meddwl ei fod o'n uffarn o gymeriad) awn innau i wrando ar yr hen ofaint hoffus yn dweud straeon wrth ei ffwrnes, neu i'r hen adeiladau gyferbyn â'r dafarn i chwarae.

Yna aem i'r *Lion* yng Ngwytherin ac yno cawn i fy ngwobr am fod mor amyneddgar: potel o Cherry B a phaced o grisps. Roedd yfed y Cherry B fel trawiad gan fwrthwl ac mi roeddwn i'n feddw bost erbyn i ni gyrraedd adref, yn hen barod i 'ngwely.

Does dim syndod, felly, fy mod i wedi treulio cymaint o amser mewn tai tafarn ar hyd fy oes; roeddent fel cartref i mi. Ac mae 'na wendid yn y teulu, mae hynny'n amlwg. Bu bron i'r ddiod feddwol fy lladd innau hefyd ac mi roeddwn i mor felyn â blodyn menyn, ac yn llipa fel clwt, pan rois i'r gorau i ddiota ar Ragfyr yr 28ain, 2001 yn Ysbyty Llandudno. Mae'r dyddiad hwnnw'n bwysicach na phen-blwydd i mi. Ac mi ddywedaf wrth y rheiny ohonoch chi sydd newydd gyrraedd eich hanner cant – na ofidiwch; bûm innau yn 'dathlu' fy mhen-blwydd yn hanner cant mewn cwt gwylio adar ar lan y môr wrth Aber, bron â rhynnu, efo dim mwy na photel wag o fodca yn gwmni, ond ers hynny rwyf wedi mwynhau blynyddoedd gorau fy mywyd.

Fe âi 'nhad i lawr i'r *Lion* gyda'r nos gan fy ngadael i yn y gwely efo Fflei y ci yn gwmni. Byddem yn gwrando ar y radio ac os oedd 'na rhywbeth dychrynllyd arno, fel drama llofruddiaeth ar '*Saturday Night Theatre*', fe guddiwn i o dan y cwrlid a chrynwn yn y fan honno nes i 'nhad ddod adref. Am ryw reswm anesboniadwy roeddem ni ill dau yn cysgu yn yr un gwely mawr tan oeddwn i yn fy arddegau, a'm joban gyntaf bob bore oedd mynd â'r po i lawr y grisiau i'w wagio yng ngwaelod yr ardd. Rwy'n cofio arogl sur y piso yn gymysg â gweddillion ei roll-ups Golden Virginia neu Shag y Brython hyd heddiw. Roedd yr ystafell wely wedi ei haddurno efo papur wal melyn efo sêr bach arian arno, a bûm wrthi am oriau yn gwrando ar y radio wrth wneud patrwm efo ewin fy mawd o gwmpas y sêr wrth ochr y gwely; roedd hyn yn debyg, dybiwn i, i garcharor yn nodi'r dyddiau a âi heibio efo hoelen ar fur ei gell!

Wedi dweud hynny, dydw i ddim yn cofio 'nhad erioed yn rhoi cweir i mi; byddai'n gweiddi arna i byth a beunydd ac fe welai fai ar bopeth, ond fyddai o ddim yn fy nhrawo i. Yn hytrach, roedd o'n dangos ei ddicter parhaol drwy ymosod ar y dodrefn neu ar anifeiliad; i 'nghosbi i am rywbeth mi fyddai'n fy ngyrru efo ffon i'r cwt cŵn i'w waldio nhw, neu mi roddai wn yn fy llaw a gwneud i mi saethu ci. Mae cofio hynny yn gwneud i mi ymwingo hyd heddiw ac un canlyniad yw na wna' i ddim brifo pry copyn hyd yn oed, ac mi af â chrachan ludw allan i'r ardd yn hytrach na'i lladd.

Mae gen i gof o'r ddau ohonom yn hanner paffio efo cyllyll yn y gegin a finnau eisiau plannu'r twca yn ei gefn, ond yn atal fy llaw ar y funud olaf.

Weithiau, pan wyf i'n eistedd ym Mryn Clochydd yn sgwrsio efo Morus fy nghefnder sy'n ffermio yno heddiw, a Gwenda ei wraig, rwy'n 'gweld' rhan o'r gorffennol yn digwydd o flaen fy llygaid fel hen, hen ddrama. Gwelaf 'nhad yn sefyll wrth y ddresal, fel y gwnâi o hyd, yn smocio, yn darllen, ac yn cael jochiad o wisgi yn awr ac yn y man. Mae'n rhyfeddol pa mor debyg wyf i iddo fo; rwyf innau hefyd yn hoff iawn o lyfrau a malu awyr. 'Romansiwr' oedd 'nhad, a dw innau yn rêl ponsiwr hefyd os y caf i wynt go lew wrth gefn. Roedd o'n ddyn medrus, clyfar; mae'n biti mawr ei fod o'n gymeriad Jekyll a Hyde. Camgymeriad mawr oedd iddo fod yn ffermwr: dyna oedd wrth fôn ei anhapusrwydd.

Beth oeddem ni'n ei fwyta, dau hen lanc efo'n gilydd, hanner canrif yn ôl? Amser brecwast fe gawn i fara llaeth, neu botes. Defnydd da o hen fara sych oedd bara llaeth: torrwyd y bara yn dalpiau cyn tywallt llefrith cynnes drosto, gyda thalp o fenyn yn ei ganol i felysu'r cowdal. Neu weithiau, fel newid, cawn ddŵr berwedig ar y bara yn lle llefrith a llond llwyaid o Bovril yng nghanol y potes yn lle'r menyn. Byddai fy modryb Catherine (santes go lew!) yn dod â sosbenaid fawr o lobsgóws ac ati ddwywaith yr wythnos i'n cynnal. Rwy'n cofio bwyta mefus a chnau yn eu tymhorau, a dail ifanc y ddraenen ddu hefyd (a alwem ni yn 'fara caws') ac weithiau mi fwytawn y dail rêp a heuwyd i borthi'r defaid, neu fwyd gwartheg (cêcs), ond wnaeth hynny ddim drwg i mi. Doedd 'na ddim dewis bwyd na ffol-di-rol fel sydd heddiw ynghylch ymborth: rhoi'r bwyd o'ch blaen ac fe'i lloffwyd i lawr y lôn goch heb feddwl dwywaith. Roeddwn i'n bwyta treip a llaeth enwyn, pethau 'sa plentyn ddim yn mynd yn agos atynt heddiw.

Roedd tri ohonom yn mynd i saethu cwningod yn reit

aml – fi yn dreifio'r tractor, fy nhad yn sefyll ar un ochr i mi efo gwn a John Kyffin, Cornwal Isa, ar yr ochr arall. Aem o gwmpas y dolydd wedi iddi nosi yn lampio'r cwningod, hynny yw yn eu dallu ac yn eu mesmereiddio efo golau'r tractor, ac yna'n eu saethu. Aem adref gyda degau ohonynt yn y bwced mawr y tu ôl i'r tractor. Byddem yn eu gwerthu nhw am ddeg a chwech y pâr (ychydig mwy na hanner can ceiniog heddiw) os wyf i'n cofio'n iawn.

Os oedd cwningen wedi derbyn lot o 'shot' fe âi honno i'r lobsgóws gartref, ond roedd yn rhaid bod yn ofalus iawn wrth gnoi'r cig, rhag malu dant ar y darnau bach o blwm o'r getrisen. Mae gennyf atgof clir o fynd efo John Kyffin un noson i ddal eogiaid yn afon Cledwen; fi oedd yn dal y *torch* a fyntau'n gaffio'r pysgod. Roedd John yn andros o gymeriad, yn botsiar digymar ac yn hen werinwr gyda storfa ddiwaelod o wybodaeth; gwyddai sut i wau doliau prydferth o ŷd ac mi roeddwn i'n hoff iawn ohono. Unwaith aeth y tri ohonom am wyliau, yn cysgu efo'n gilydd fel sardîns ar fatres wedi ei stwffio i gefn hen fan. Aethom i Wlad yr Haf, yna i Swydd Henffordd lle bu 'nhad yn gweithio i fwtsiar yn ystod y rhyfel (ac yntau'n wrthwynebydd cydwybodol). Yno, aethom i bysgota un diwrnod. Doedd 'na ddim brathiad i gael ac os oedd 'na rywun ar y ddaear a gâi frathiad, John Kyffin oedd y dyn hwnnw. Ar ôl awr neu ddwy fe ofynnodd i mi fynd yn ôl i'r fan i nôl rhywbeth, ac wedi dychwelyd sylweddolais fod fy rodan i yn plygu: ar ben y lein roedd 'na frithyll hardd a deallais ar ôl chydig mai fo oedd wedi'i ddal ac wedi ei roi ar fy ngenwair i. Chwarae teg iddo. Yn ystod y gwyliau hwnnw rwy'n cofio gweld hogyn a merch ifanc yn cerdded i lawr y ffordd tuag atom, law yn llaw, a dyna'r tro cyntaf imi gael cipolwg ar lwybrau serch. Roedd yn agoriad llygad i mi.

Roedd gen i dri gwn cyn i mi fynd i'r ysgol fawr yn Llanrwst ac mi saethwn bopeth a ddeuai ar draws fy llwybr, hyd yn oed adar y to. Roeddwn i wedi dysgu crefft creulondeb wrth ford fy nhad a dyna sut y byddwn i'n dial ar y byd am y creulondeb a ddaeth i'm rhan innau – drwy ladd yr anifeiliad bach a'r adar o'm cwmpas. Un diwrnod saethais robin goch yn yr eira ac ar ôl edrych ar y gwaed pitw ar y ddaear wen euthum adref a rhoi fy ngwn o'r neilltu; ni chyffyrddais â gwn wedyn. Roedd un ohonynt yn beryg bywyd beth bynnag; roedd yn rhaid i mi ddal y stoc a'r baril efo'i gilydd wrth saethu neu mi gawn i ddiawl o gic a fyddai'n fy ngyrru ar fy nhin.

Un diwrnod dangosodd fy nhad i mi sut i wenwyno tyrchod efo *strychnine*, gan ddefnyddio'i fys i roi'r gwenwyn ar bryf genwair a rhoi hwnnw yn rhedfa'r twrch; dydw i ddim yn cofio iddo fy nysgu i olchi 'nwylo wedyn chwaith (mae *strychnine* yn ofnadwy o beryglus). Mi roedd o'n cadw'r tun gwenwyn ar yr un silff â'r bwydydd yn y gegin. Buasai swyddogion iechyd a diogelwch yr oes hon wedi cau'r cwm ac wedi symud pawb i fro arall!

Roeddwn i byth a beunydd yn dringo'r coed talaf ar y fferm ac yn eistedd fel brenin bach rhwng brigau uchaf rhyw onnen anferthol am hydion yn clodfori fy ngallu fy hun yn y maes hwn; ond un diwrnod mi es i drybini, yn bell o'r tŷ, ar ôl iddi ddechrau glawio a minnau hanner canllath i fyny rhyw hen gastanwydden. Cael a cael oedd hi, a phan fedrais ddychwelyd i ddiogelwch roeddwn yn crynu fel ci 'di cael cweir.

Dim ond chydig iawn ydw i'n ei gofio o'r ysgol. Brith gof, efallai, o'r prifathro, Mr Noel Jones, yn sefyll fel cawr ar iard ysgol Gwytherin; poteli bach o lefrith yn disgwyl am ein cegau barus yn y cyntedd, gydag eira drostynt; ymweliad hen ddeintydd gyda thas o wallt gwyn ar ei ben ac yntau'n drilio'n ara deg i un o'm dannedd gyda hen beiriant a yrrid gan ei droed – doedd dim letrig yn yr ysgol bryd hynny mae'n rhaid. Roedd 'na neidr a ddaliwyd gan un o'r plant ym mhen draw'r cwm yn dyst i bob gwers hefyd, yn nofio mewn hylif tebyg i *formaldehyde* mewn potyn mawr gwydr.

Cynhelid yr eisteddfod flynyddol yn ysgol y pentref ac rwy'n cofio'r wefr o dderbyn rubanau am gystadlu. Rwyf hefyd yn cofio fy llais yn torri wrth ganu ar yr hen lwyfan pren. Un peth arall a wnaeth gryn argraff arnaf i mae'n rhaid oedd drama fach silwèt gyda Gwynfryn y saer yn 'llifio' coes rhywun i ffwrdd y tu ôl i garthen wen!

Pan es i fyny i'r ysgol fawr yn Llanrwst deuthum wyneb yn wyneb ag annhegwch mawr y byd am y tro cyntaf – tra bo traean y criw yn disgyn o'r siarabang wrth yr hen ysgol ramadeg, aethai'r gweddill o'm cyfeillion draw i'r 'sec mod' ym mhen draw'r dref, fel petai cymdeithas yn trio'u cuddio. Rwyf i wedi bod yn erbyn y fath gyfundrefn byth ers hynny; sut ar y ddaear y medrwch chi ddylanwadu ar fywyd rhywun yn seiliedig ar un arholiad, a hwythau ond yn blant bach?

Roedd yn rhaid cerdded i'r llan i gyfarfod y bws ysgol, milltir yn ôl ac ymlaen bob dydd, ac yna taith o saith milltir mewn hen siarabang hynafol gydag *anti-macassers* ar y seddi, i lawr i Ddyffryn Conwy; ond yn yr haf roedd 'na wledd o fefus gwyllt yn y cloddiau i gochi 'mysedd a 'ngwefusau ar y ffordd adref.

Ddysgais i ddim bron yn yr ysgol ramadeg; paffio oedd prif wers y dydd ac mi fyddai cylch o wylwyr yn hel o amgylch gornest rhywle ar y cae pob dau funud wedi i rywun weiddi 'ffeit!'.

Duw a ŵyr faint o weithiau y bûm i'n ymladd efo rhywun neu'i gilydd; dichon fy mod i'n grwt bach reit galed oherwydd dydw i ddim yn cofio neb yn fy nghuro. Un tro rhoddais gelpan i hogyn a elwid Paddy a gwelais nifer o'i ddannedd yn dod allan o'i geg yn ei boer. Beth fyddai'n digwydd pe bai plentyn yn gwneud hynny heddiw tybed?! Mi fyddai'n cael ei ddwyn gerbron llys, mae'n siŵr. Hogia drwg oeddem ni. Roeddem yn llusgo rhai o'r genod i'r lle chwech ac yn mynd ati'n bowld i dynnu eu dillad; roeddem yn smocio fel trwpars y tu ôl i'r orsaf letrig, neu'n chwarae cardiau am geiniogau a chardiau ffwtbol. Roedd Ber Bach yn medru poeri reit ar draws y ffordd i'r cae chwarae. Ia, dyna i chi arwr go lew! Pêl-droed neu baffio oedd llinyn mesur pob gallu.

Doedd yr athrawon yn meddwl dim cyn rhoi celpan i ni, neu yrru darn o bren neu llanhawr bwrdd du ar draws yr ystafell fel taflegryn niwclear!

Yn y flwyddyn gyntaf byddai'r plant newydd yn gwisgo trowsus bach a chap du a gwyn efo *tassle* ar ei gorun ond welai hwnnw mo ddiwedd y diwrnod cyntaf cyn i ryw hogyn annifyr roi ffluch iddo drwy ffenest y siarabang. Rwy'n cofio 'nhad yn mynnu prynu sgidiau hoelion mawr i mi ar gyfer yr ysgol tra bod yr hogia eraill yn cripian o gwmpas y lle mewn *winkle-pickers* neu *brothel-creepers*. Y canlyniad oedd fy mod yn clompian o un dosbarth i'r llall fel rhyw gawr mawr swnllyd a chymaint oedd fy nghywilydd nes i mi gerdded ar flaen fy sodlau gyda chwys f'embaras yn tasgu o'm wyneb bach coch. A chynnwys fy mhocedi? Cwningod bach gwyllt, ffags, cardiau ffwtbol, cyllyll, marblis, catapwlt a phob math o geriach. Ia, hogia bach budr, di-drefn oedd y rhan fwyaf ohonom ni yn ysgol fawreddog Llanrwst.

Roedd 'na lawer iawn o ddistawrwydd yng Ngwytherin bryd hynny. Dyna dwi'n gofio hyd heddiw – y distawrwydd. Pryfed yn mwmian yn y tawelwch; sŵn y ceiliog yn torri'r heddwch fel dysgl yn malu ar lawr. Roedd y distawrwydd hwnnw'n perthyn i'r hen fyd; byddai'n lledaenu o ben draw'r cwm i ben draw'r bydysawd. Ac fel yr af yn hŷn, rwy'n chwilio fwyfwy am yr hen ddistawrwydd diflanedig hwn. Byddaf yn cyrchu mannau anghysbell; yn diffodd pob teclyn yn y fflat er mwyn ymweld eto â hen fyd fy nghyn-dadau. Gwyrth yw distawrwydd, un o drysorau'r gorffennol; ychydig iawn sydd ar ôl ohono ym Mhrydain – mae o mor brin ag aur. Ia, aur y glust yw distawrwydd.

A'r hen gymeriadau – maent hwythau wedi diflannu hefyd. Birdie y trempyn yn cerdded ar hyd y ffyrdd, yn mynd o un das wair i'r nesaf i gysgu ac yn gwerthu Roberts Radios o un fferm i'r llall. Roedd Birdie i'w weld hefyd ym marchnad Abergele bob dydd Llun, yn colli ei dymer ac yn gweiddi ar y ffermwyr oedd yn tynnu arno ac yn gwneud hwyl am ei ben. Doedd o ddim llawn pen llathen, gyda llond ceg o ddannedd drwg, ond roedd o'n cadw deupen llinyn ynghyd rhywsut. Roedd 'na si fod Birdie wedi gadael ffortiwn pan fu farw, ond roedd straeon fel'na yn gyffredin.

Ein trempyn personol ni ym Mryn Clochydd oedd Now Siani, hen lwynog cyfrwys, budr a gyrhaeddai'n sydyn bob hyn a hyn. Fe gysgai yn y cytiau a gwnâi fân bethau, fel tocio swêj, am chydig o fwyd a digon o bres i brynu cwrw. Rhoddodd fy nhad arian iddo o flaen llaw, cyn gwneud y gwaith, un noswaith ac roedd Now wedi sleifio oddi yno erbyn y bore.

Roedd cymeriad arall yn helpu ar y fferm, hen lanc o'r enw Abel, a doedd croen hwnnw ddim wedi gweld llawer o sebon yn ystod ei fywyd chwaith. Gwelaf ei wyneb hyd heddiw, fel pe bai'n actor mewn hen ffilm ddi-sain, ond mae'r sinema wedi ei chau ers talwm a'r hen ffilmiau'n troi yng nghof llai a llai o bobol.

Pan aned fi fe ddywedodd Abel wrth Mam, gyda doethineb Solomon, 'Mi gewch chi lawer iawn o bleser efo fo Lizzie Mary, ac mi gewch chi lawer o helbul hefyd'! Mi feddyliech fod 'rhen Abel wedi magu deg o blant ond doedd o ddim yn nabod un pen babi oddi wrth y llall!

Buaswn yn medru adrodd hanes fy mebyd wrth eich tywys o gae i gae ar y fferm ond dyma sôn am ddau yn unig. Y Maes: dyma lle gwelais i'r beindar (math o *combine harvester* cyntefig) yn cael ei dywys y tu ôl i Fordson Bach, a chwningod ifanc yn dianc yn haid pan âi'r clwt o ŷd yng nghanol y cae yn llai ac yn llai (a chyda rhai ohonynt yn colli eu coesau ar y llafn didrugaredd).

Cae Dan Tŷ: yng ngwaelod y cae hwn, ar lan yr afon, nythai glas-y-dorlan bob blwyddyn ond (diolch i'r drefn) teimlwn fod yr aderyn yn sanctaidd ac er i mi roi fy mraich yn y twll i deimlo'r wyau, gadewais lonydd iddo – er fy mod yn lladd bron iawn popeth arall a welwn. Awn i lawr i Gae Dan Tŷ efo'm rodan bysgota fach ddu a choch a chyrraedd adref wedyn efo nifer o frithyll bach blasus yn crogi oddi ar gangen collen. Roeddynt yn hynod o hardd, ond wedi eu ffrio mewn menyn doedd dim ar ôl heblaw esgyrn mewn chwinciad.

Dyna i chi dipyn o hanes fy magwraeth ym Mryn Clochydd. Y peth rhyfedd yw nad wyf i'n difaru dim byd erbyn heddiw. Oedd, mi roedd o'n adeg digon blin yn fy mywyd ond mi greodd hogyn bach reit fedrus, a deallus hefyd. Gallwn drwsio'r tractor mewn munud ac roeddwn i'n medru troi fy llaw at unrhyw beth. Un diwrnod rwy'n cofio torri gwair yn Waun Goch, cae saith acer, efo hen declyn torri gwair. Roedd yn rhaid newid y llafn bob dau funud a rhoi min arno ac roedd hynny'n golygu tynnu neu dynhau bollten enfawr efo tyndro. Ond dichon na roddais ddigon o hwb i'r teclyn oherwydd collais y follten. Wel sôn am nodwydd mewn tas wair! Es adref i ddweud wrth 'nhad ond yr ateb oedd, 'Dos yn ôl i'r cae a phaid â dod adref tan fod y gwair yn ei wanafau'. A minnau'n grwt o hogyn, rydw i'n cofio mynd yn ôl i'r cae a defnyddio fy rhesymeg i ffeindio'r follten. Roedd hwnnw'n achlysur pwysig yn fy mywyd; dysgais sut i feddwl, sut i ddatrys problem drwy ddefnyddio rhesymeg.

Awn am dro yn awr o Fryn Clochydd i fyny i Fron Haul. Dydw i ddim yn siŵr pa bryd y prynwyd Bron Haul gan berchenogion Bryn Clochydd, ond roedd y fferm uchaf yn perthyn i 'nhad erbyn i mi gyrraedd y byd 'ma.

Doedd 'na ddim *quad bikes* na *Land Rovers* bryd hynny, wrth gwrs, a merlen fynydd a ddefnyddid gan bawb call i esgyn i'r tir uchel. Roedd fy nhad a minnau wedi neidio i'r Standard 8 pick-up un tro ac wedi mynd i Ffair y Borth, pan oedd y ffair yn ei hanterth. Ar ôl gwylio'r bolddawnswyr ac ati yn hudo'r hen ffermwyr i'w pebyll, prynasom ddwy ferlen felen (palomino) am wyth gini yr un a dygasom nhw adref wedi'u clymu yng nghefn y pick-up, gyda'u pennau'n dod allan o'r canfas ac yn addurno'r cerbyd fel cerfluniau ar flaen llong. Eu henwau erbyn i ni gyrraedd adref oedd Madam a Cheeky. Y fo oedd pia Madam, y fwyaf, a minnau oedd perchennog Cheeky, er iddo'i gwerthu hi rhywbryd yn y dyfodol i ddieithryn am bris potelaid neu ddwy o wisgi.

Felly, pan oedd hi'n amser mynd i Fron Haul, rhown chwibaniad wrth giât Cae Calch ac mi fyddai'r merlod yno mewn chwinciad i dderbyn darn o siwgr neu lond llaw o gêcs defaid. Pur anaml y cyfrwywyd hwy; rhoddid cortyn bêls am eu pennau ran amlaf, gan fod y ddau ohonom yn well marchogion na'r indiaid cochion, a medrem eu cyfeirio efo'n pwysau a'n cluniau. Roeddwn innau cystal marchog erbyn hynny nes bo 'nhad yn prynu merlod gwyllt ac yn gadael i mi eu 'torri i mewn' drwy eu reidio fel 'bycing bronco'. Roedd ambell un yn wyllt fel matsien ac mi ges i aml i godwm drwg. Un diwrnod es i Dyddyn Deicws, ar draws y cwm, i nôl rhywbeth i 'nhad ac mi roddodd rhyw ferlen fach ddu godwm mor sydyn i mi fel nad oeddwn i'n gwybod dim am y peth. Ond rwy'n cofio deffro yn y gwely ym Mryn Clochydd ac mi roedd y dillad gwely yn waed yr aur: pob modfedd yn goch efo 'ngwaed i. Roedd yn rhaid i chi fod yn gelain bron iawn cyn i chi fynd i'r ysbyty bryd hynny.

Fe'm gyrrwyd i'r mynydd bron bod dydd i hel y defaid i'w cynefin. Doedd 'na ddim ffensus ar Fynydd Hiraethog bryd hynny ac mi roedd y defaid yn cadw i'w cynefin drwy hir arfer, ond roedd y ffermwyr yn closio eu defaid i'w cynefin bron bob dydd er mwyn cadarnhau'r hen drefn. Roedd 'na ryfel wedi bod rhwng 'nhad ac un o'r cymdogion ynghylch un o'r ffiniau ac fe fyddai sgarmes bob hyn a hyn; yr un fu'r stori erioed, mae'n siŵr.

Pan y byddwn yn dringo i fyny i'r mynydd ar y ferlen fe awn yn hapus braf oherwydd gwyddwn y cawn awr neu ddwy o lonydd. Mae'r arferiad wedi dychwelyd; pan wyf eisiau bod ar fy mhen fy hun af am dro, a dyna pryd yr wyf hapusaf. Ac oherwydd yr hapusrwydd sy'n deillio o gomowta a lloffa a mwynhau natur, rwyf wedi cerdded reit o amgylch gororau Cymru – mil o filltiroedd – ac ar ei thraws hi naw gwaith yn yr wyth mlynedd diwethaf. Rwy'n brolio rŵan, on'd ydw i!

I fyny â ni, felly, heibio Ffridd Las Isa, Clytiau Mulod, y Parc a Ffridd Mynydd, cyn cyrraedd giât y mynydd. Dyma derfyn y fferm, a dechreuad byd newydd – byd gwyllt y mynydd. Lle anial yw Mynydd Hiraethog, yn cynnwys aceri maith o rug efo llynnoedd yma a thraw yn wincio'n ôl at yr haul (er mai pur anaml y daw hwnnw i ymweld â'r ucheldiroedd yn y gaeaf).

Rwy'n cofio eistedd wrth y giât fynydd un bore o wanwyn yn aros am fy nhad i ddod â'r ddiadell i lawr o'r mynydd, pan roddais fy mraich i lawr twll cwningen. Darganfûm garreg brydferth wedi ei naddu fel llwy garu, gydag ystafelloedd bach ynddi. Carreg nadd (*soapstone*) hen fugail oedd hi mae'n siŵr, ac yntau wedi bod yn ei siapio hi wrth warchod ei braidd ar y mynydd. Daeth 'nhad ar frys, rhoddais y garreg yn ôl yn y twll ac fe'i collwyd am byth. Rwy'n meddwl amdani'n aml; os oes 'na ddau beth o'm plentyndod yr hoffwn eu gweld eto, buaswn yn licio gweld Fflei y ci, fy hen ffrind, a'r garreg nadd. Nid 'nhad. Mae gen i ei ofn o byth. Pe baech chi'n dweud wrthyf bod 'nhad yn yr ystafell drws nesaf, yn aros i'm gweld i, buaswn yn ymadael ar unwaith. Peth rhyfedd, ynte.

Atgof arall o'r gorffennol pell yw'r un o 'nhad yn mynd yn sownd mewn cors ar y mynydd a Mam yn ei lusgo ohoni. Tybed a ddigwyddodd hyn? Rwy'n cofio panig mawr ...

Beth bynnag, ymlaen â ni ar hyd y ffordd i Fron Haul. Dydi'r lle ddim yn bell ac ymhen deng munud fe welwn ni'r fferm yn ymestyn o'n blaenau. Ar y ffordd fe welwn dwll crwn ar yr ochr dde, a wnaed gan fom a ollyngwyd gan awyren Almaenig ar ei ffordd adref yn ystod yr Ail Ryfel Byd, yn ôl pob sôn. Tyddyn petryal yw Bron Haul, yn cynnwys tua hanner can acer o dir eilradd efo afonig yn llifo ar draws y tir. Cwyd y tir yn araf tuag at y gorwel. Mae'r cae wrth gefn y tŷ wedi cadw ei lesni, fel ynys fach werdd mewn môr mawr brown, sy'n deyrnged i'r holl waith a wnaed yno gan yr hen bobol. Mae'r tŷ ei hun a'r hen adeiladau yn adfeilion erbyn hyn ond mae'r coed o'u blaenau yno o hyd. Dichon bod rhywun wedi gwarchod y coed yma yn selog, gan nad oes 'run goeden arall o fewn golwg. Wrth fôn un ohonynt roedd 'na ffynnon fach ac fe gofiaf 'nhad yn ei glanhau bob blwyddyn gan sicrhau bod 'na lyffant ynddi i'w chadw'n lân. Roeddem ni'n gwneud hynny ym Mryn Clochydd hefyd ac edrychwn am y llyffant bob tro yr awn iddi i nôl dŵr.

Un o'r pethau amlycaf a welai neb ym Mron Haul ers talwm oedd dyfais i ddal brain. Cratsh fawr oedd hon, cymaint ag ystafell, wedi ei gwneud efo weiren. Roedd 'na dwmffat weiran yn disgyn o'i do a rhoddwyd celain anifail oddi tano i ddenu'r brain i lawr i'r trap; wedi disgyn i lawr, pur anaml y medrai'r brain ddianc allan. Gadawai 'nhad iddynt farw yno ac fe awn innau i'w gwylio yn ceisio dianc. Oeddem, roeddem yn anwaraidd ac yn greulon.

Rwy'n cofio'r ddau ohonom yn mynd ati un diwrnod i ddal merlen wyllt o'r mynydd. Llwyddasom i hel dwsin ohonynt i'r gorlan ym Mron Haul ond roedd arweinydd y merlod, hen ferlen fawr wen gyda dim ond un llygad, yn well tactegydd na ni; arhosodd nes bod golau dydd rhyngddi hi a'r giât cyn neidio ar ben y glwyd bren a'i hyrddio i'r llawr yn deilchion, cystal â dweud 'mae 'na fistar ar Mistar Mostyn, bois bach!'.

Un diwrnod roeddwn i wrthi ar ben y mynydd ar gefn Madam y ferlen fawr yn hel ein defaid ni – i gyd efo marc BC du ar yr ochr dde – tuag at eu cynefin pan ddisgynnodd niwl trwchus yn sydyn; doedd dim modd gweld fawr pellach na dwylath o flaen y ferlen, a rhaid oedd cymryd gofal rhag i mi lanio mewn cors. Roeddwn yn adnabod y ffordd tuag at Fron Haul ac yno yr euthum yn y niwl. Fe wyr y rhai ohonoch chi sydd wedi bod mewn sefyllfa gyffelyb fod y byd yn mynd yn ddistaw iawn bryd hynny; ni chlywir na bref na chri'r gylfinir yn y gwynfyd rhyfeddol a ddaw i feddiannu'r crwydryn unig ar ben mynydd.

Wedi ffeindio'r tŷ, a oedd mewn cyflwr go lew hanner can mlynedd yn ôl, efo to sinc a gwely hyd yn oed, arweiniais y ferlen i mewn iddo a chaeais y drws. Roedd hi'n noswylio erbyn hynny a chyneuais y tân; doedd dim ofn arnaf ac es i gysgu ar y gwely. Cyrhaeddodd 'nhad gyda'r wawr ac yn lle cael uffarn o ffrae fel y disgwyliwn, roedd o'n orfoleddus fy mod i'n dal yn fyw. Ar adegau felly, adegau digon prin, y deallais fod 'nhad yn fy ngharu yn ei ffordd afresymol ei hun. Mi rydw i wedi cyfarfod llawer o blant sydd wedi dioddef creulondeb yn y cartref, ac yn fy nhyb i mae dau fath o gamdriniaeth: un yn oer ac un yn boeth. Os yw plentyn yn cael cam gan riant 'poeth' sy'n afresymol ond sy'n caru'r plentyn, mae gan y plentyn obaith go lew o fedru ffeindio hapusrwydd a byw yn 'normal' yn y dyfodol (dyna pa fath o gamdriniaeth a gefais i). Ond os yw plentyn yn cael ei gamdrin yn oeraidd ac yn ddigariad, mae o'n cael ei niweidio'n ofnadwy a phrin iawn yw'r rhai sy'n dod dros rhywbeth fel'na. Damcaniaeth bersonol yw hon a does dim gronyn o dystiolaeth broffesiynol ynddi.

A dyna ni, wedi ymweld â Bron Haul hanner can

mlynedd yn ôl; mi adawaf ef wedi ei orchuddio â niwl amser.

Lle mytholegol yw Bron Haul; rhyw hen stori am ynys golledig. Mae Bron Haul, felly, yn cynrychioli yr hen fyd i mi; yr hen Gymru a'r hen bobol, fy nghyndeidiau.

Ar adegau fel hyn, pan fyddaf yn trio cofio'r gorffennol (ac mae fy nghof wedi dysgu sut i *anghofio* yn hytrach na chofio), byddaf yn edrych yn ôl gyda hoffter, nid tristwch. Pan fo dyn wedi cyrraedd oedran teg, caiff ofyn cwestiwn pwysig iddo'i hun: pe câi y cyfle, pwy yn y byd yr hoffai fod? Ac os mai'r ateb yw 'myfi fy hun, mi arhosaf fel yr ydwyf rŵan,' wel, mae o wedi cyrraedd rhywle pwysig, tydi?

Ac felly yr ydw i'n teimlo heddiw: onid oeddwn i'n lwcus fy mod i wedi fy ngeni yng Nghymru yn y 1950au ac wedi profi cymaint o ryddid, a harddwch, ac wedi blasu profiadau mor rhyfeddol. Y profiadau hynny ddaru fy ffurfio i; ddaru fy siapio i fel Lloyd Jones: cyw digon od, ond cyw y medra i fyw efo fo rŵan yn reit hapus o ddydd i ddydd.

Mae hi'n wyrth fy mod i yma o gwbl. On'd ydi bywyd yn braf – niwl neu beidio!

Bron Haul

gan Dr Eurwyn Wiliam

Gallwch weld Bron Haul o'r gofod. Wel iawn, *allwch chi ddim* gweld Bron Haul, ond nawr fod gennym allu cyfrifiadurol Google Earth at ein gwasanaeth, ac os y gwyddom ble i edrych, gallwn yn hawdd weld Bron Haul fel y mae'n edrych o'r gofod. Ynghyd â'i gymydog Pant-y-foty, mae'n edrych fel ynys werdd ynghanol môr brown-borffor o rostir grugog sy'n nodweddu ymylon gorllewinol Mynydd Hiraethog. Os defnyddiwch y cydraniad uchaf posibl gellwch hefyd gyfrif nifer y defaid a borai ar y caeau ar y diwrnod hwnnw pan dynnwyd y ddelwedd o'r lloeren ym mis Mawrth 2006. Ac os ewch i holi a stilio'r adran berthnasol yng ngwefan Ymddiriedolaeth Archeoleg Clwyd-Powys, yna gallwch eto weld Mynydd Hiraethog o'r awyr, y tro hwn fel llun lletraws a dynnwyd o awyren. Ond erys yr ynys werdd siâp calon yn ddelwedd yr un mor drawiadol wedi'i rhannu rhywfaint gan lwybr unionsyth.

Fferm fynydd 45 acer yw Bron Haul ym mhlwyf Gwytherin yn yr hen Sir Ddinbych. Ers canrif fe'i ffermiwyd fel atodiad i Fryn Clochydd sydd tua milltir i ffwrdd. Mae'r tŷ a'r adeiladau erbyn hyn yn adfeilion di-do yng nghysgod y coed. Deil amlinelliad y fferm yn union yr un fath â phan gofnodwyd hi ar y map Ordnans gan Robert Dawson yn 1818. Ffurfiwyd hi trwy amgáu tir mynydd yn ystod y ddeunawfed ganrif fel y gwelwn yn nes ymlaen. Mae hanes fferm Bron Haul o'i chreu hyd at ei gadael fel fferm annibynnol yn nes ymlaen yn hollol nodweddiadol o'r mynd a dod sy'n nodweddu anheddu ar hyd ymylon tirwedd uchel Cymru. Wrth ddatrys y stori honno gallwn hefyd grybwyll nifer o agweddau eraill a nodweddai'r anheddu hwn yng

Nghymru o'r Oesoedd Canol ymlaen, gan gynnwys y mudo tymhorol a arweiniodd at drefn yr hafod a'r hendre, ac yn ddiweddarach at y cynnydd yn y boblogaeth fel canlyniad ffenomenon y tŷ unnos.

Ond beth am i ni ddechrau trwy osod Bron Haul mewn cyd-destun hanesyddol, gan mai rheolau daearyddol yn y pen draw sy'n penderfynu ar le addas i bobl fyw ynddo. Fel y gwelsom, fe'i lleolir ar ymylon gorllewinol Mynydd Hiraethog, y mynydd hwnnw sy'n ffurfio un o'r blociau o ucheldir sy'n creu asgwrn cefn Cymru. Heddiw gorchuddir llawer ohono gan y 15,000 acer o Goedwig Clocaenog a hefyd gan gronfeydd dŵr Alwen a Brenig. Yn y bedwaredd ganrif ar bymtheg ymestynnai'r gweundir agored am tua 15 milltir o'r gorllewin i'r dwyrain ac am 6 milltir ar ei letaf o'r gogledd i'r de gan gynnwys hanner cyfanswm arwynebedd plwyfi Tiryrabad-Isaf, Gwytherin, Llansannan, Nantglyn, Llanrhaeadr-yng-Nghinmeirch, Cyffylliog a Cherrigydrudion. I gyfeiriad ei ymyl orllewinol rhannai dyffryn afon Cledwen ffin ogleddol, unffurf ar y cyfan, yr ucheldir, gan wthio fel tafod o dir amaeth i gyfeiriad y de. Llifa rhagnentydd afon Cledwen i lawr o'r ucheldir ar flaen y tafod hwn, ac fe gwyd un o'r ffrydiau bychain sy'n cyflenwi'r afon o ganol tir corslyd Gors Dopiog. Hon yw'r ffrwd sy'n rhannu tir Bron Haul sydd tua 1300 troedfedd uwchlaw'r môr ar ddiwedd ei gwm bach ei hun. Mae'n gwyro fel bach pysgota i gyfeiriad y de cyn i'w ddŵr mawnoglyd lifo i afon Cledwen ger Tu Hwnt i'r Afon. Amgylchynir Bron Haul gan Greigiau Llwydion â'i enw garw i'r de-ddwyrain, sy'n codi i 1530 troedfedd ac fe'i gwahenir o brif Ddyffryn Cledwen i'r gorllewin gan Fryn Euryn, sydd hefyd yn codi i 1400 troedfedd.

Lleolir Gwytherin ddwy filltir i'r gogledd o Fron Haul ac fe ddatblygodd yn bentrefan o amgylch yr eglwys ganoloesol gyflwynedig i Santes Gwenffrewi. Dim ond clwstwr bach o dai oedd yno yn niwedd y ddeunawfed ganrif; yn wir yr adeg honno dim ond Eglwysbach a Henllan y gellid eu galw'n bentrefi o'r holl ran orllewinol o Sir Ddinbych. Cyn belled â 1875 parhâi Gwytherin i fod yn bentref a oedd yn cynnwys dim mwy na dwsin o dai. Poblogaeth yr holl blwyf yn 1831 oedd 463, ac yna disgynnodd cyn ised â 189 yn 1901 (un yn llai nag yn 1681, fel mae'n digwydd).

Disgrifir daearyddiaeth yr ardal yn dda gan Robert Roberts, 'Y Sgolor Mawr' (1834-85), brodor o Bandy Tudur, yn ei atgofion; ac ni allwn wneud yn well na dyfynnu ei eiriau:

> Behold then a great table-land many hundred feet above the level of the sea, cold, bleak and barren. Ascend one of those round bare hills, or *moels*, which here and there rise a little above the general level and you see few traces of human habitation. A vast expanse of undulating moor, all unenclosed and dark with what Scott calls "Mother Earth's worst covering, heath." Large portions are destitute even of that poor cover over the nakedness of the land, being black peat bogs interspersed with stagnant pools of inky water and "quaking" mosses. At a distance the latter look green and fresh, a pleasing contrast to the universal dark purple, but a nearer approach shows them to be treacherous spots where an unwary step will plunge the traveller in an unknown depth of muddy ooze. A few small reedy pools covered with innumerable wildfowl occasionally break the depressing monotony of the scene. Some small dark-coloured sheep, a few black cattle, and a good number of rough shaggy-looking ponies find some kind of coarse herbage in this unpromising tract in which they contrive somehow to exist; and those bits of dry stone walls or turf enclosure which you see in the most sheltered

spots are the poor beasts' cities of refuge in the frequent storms that sweep over the country. These are all that a cursory glance will show you of man's presence. In summer, for a few weeks, turf cutters are seen in the bogs, and carts may be met with conveying the dry peat to the glens below to form the winter's stock of fuel, but during the greater part of the year, except for a solitary shepherd, man might seem to have abandoned the desolate region to the curlew and the lapwing.

But follow the course of that dark looking water which issues out of the bog behind you, and after about a mile of difficult walking through thick wet moss, rushes, and coarse grass with fibres thick and wiry, you will find a new prospect open before you. The stream, rapidly increasing in size by the junction of innumerable little tributaries out of that wet soil, suddenly descends and from a sluggish black ditch becomes a brawling, bounding torrent, white with sparkling foam. It enters a great cleft as if the earth had been suddenly rent by some violent convulsion which now opens before you. In its upper portion it is a narrow *cwm* (Angl. *combe*) and the hills on each side approach so closely that but a very small portion of level ground is left between, through which the *nant* or mountain stream is seen meandering among clumps of willows and alder. In the far distance you see the *cwm* widening into a fertile valley. On a clear day you look into the far distant lowlands where the *nant* becomes a considerable river crossed by many arched stone bridges, and you can on favourable occasions distinguish two or three massive square church towers glistening in the sun. Hall, mansion, and *plas*, each embosomed in its 'tall ancestral trees' enrich and enliven the landscape.

But in the *cwm* at your feet the scenery is more bare and the habitations of man more humble. On the sunny side of the ravine at pretty wide intervals, clusters of low buildings are to be seen, each accompanied by a few stunted trees, ash, birch, and sycamore. The houses are rudely built of unhewn boulders, cemented by a mixture of clay and lime. They are mostly of one storey, with thatched roofs, thick walls, and small diamond-paned windows. The outbuildings are also low, uncouth and primitive looking, arranged with little regard to symmetry or order. A few small ricks of hay and oats flank each collection of buildings, and a small garden in front of each dwelling-house denotes that some attempt is made, even in that cold climate, to raise a few vegetables to vary the simple diet, and a few ordinary flowers to decorate the homestead, homely as it is. The farming is old-fashioned, rude and unscientific, the rotation of crops is unknown; the same patches of fields are under cultivation year after year, and round each patch, bordering on the straggling hedges, you see a wide margin of waste ground. There is much dirt and general untidiness too, visible all round, but still there is not any appearance of absolute poverty, that grinding poverty which weighs man down to the earth with its inevitable load, and forbids the heart to hope any longer.

Mae'r carneddau claddu a'r meini hirion o'r Oes Efydd yn profi fod pobl yn byw ar Fynydd Hiraethog yn oes yr arth a'r blaidd. Er bod chwalfa'r carneddau, ffiniau'r caeau a chefnau amaethu yn dangos fod rhannau o'r rhostir yn cael eu ffermio 'nôl yn yr Oesoedd Canol, ymsefydlodd y mwyafrif fodd bynnag yn y dyffrynnoedd. Roedd llawer o'r ffermydd hyn yn bod ers yr unfed ganrif ar bymtheg – gwyddom o leiaf fod Bryn Clochydd er enghraifft mewn bodolaeth ers tua 1670. Yng nghyfnod y Tuduriaid gwyddom mai dim ond cyfran fechan o orllewin Sir Ddinbych a gaewyd ar gyfer ei amaethu, er bod y sir yr un gyfoethocaf ac efallai'r un fwyaf diwylliedig yng ngogledd Cymru. Disgrifir Uwch Aled, sef y cwmwd sy'n cynnwys Mynydd Hiraethog, gan yr hynafiaethydd John Leland fel 'the worste part of al Denbigh land and most baren'.

Erbyn ffurfio Map Degwm 1842 roedd nifer o'r ffermydd a thyddynnod ar y tiroedd uchel wedi eu hamgáu, gan ymddangos fel ynysoedd gwyrddach mewn môr o rug; er enghraifft, Hafod-gau ger wal ogleddol y mynydd, yna Waun Uchaf Las, ac yna Pant-y-foty (neu 'Pant-y-Hafodty' fel y'i gelwir ar fap OS 1818). Awgrymir oddi wrth yr enwau Hafod-gau a Pant-y-foty nad amgaeadau diweddar na thai unnos parhaol oeddynt, ond yn hytrach bod eu gwreiddiau efallai'n mynd yn ôl i'r arferiad o roi'r gwartheg ar yr ucheldir yn ystod yr haf. Bu'r ucheldiroedd yn rhan bwysig o economi amaethu erioed, er nad oedd yn bosib tyfu cnydau ar y rhannau uchaf a mwyaf digysgod. Gwyddom y byddai gwartheg ers yr Oesoedd Canol yn cael eu rhoi ar y ffriddoedd (yn draddodiadol ar Galan Mai) lle gellid gwneud caws a menyn o'u llaeth. Yn ystod y cyfnod hwn byddai'r caeau yn yr hendre yn rhydd i'w haredig a deuai'r anifeiliaid i lawr yn ôl yn yr hydref (eto'n draddodiadol ar Galan Gaeaf). Gelwid y rhannau o'r ucheldir lle porai'r gwartheg yn 'hafod' fel y 650 erw a gofnodwyd yn Hafod Elwy yn 1334. O'r unfed ganrif ar bymtheg ymlaen, roedd yn arferol i enwau a gynhwysai 'hafod' ddynodi mannau penodol ac nid ardal eang o dir; mannau a fyddai'n amlwg wedi datblygu'n ffermydd parhaol, ond sefydlwyd clwstwr bychan o hafotai – adeiladau hirsgwar, unwedd bron, yn

Nyffryn Brenig cyn hwyred â'r cyfnod hwn.

Ond parhaodd symudiadau tymhorol dyn ac anifail tan o leiaf ddiwedd y ddeunawfed ganrif, a rhoddodd Thomas Pennant ddisgrifiad delfrydol o'r ffenomen yn 1783. Gall arbenigwyr mewn mapiau ac enwau lleoedd yn hawdd ailgreu'r dystiolaeth o drawstrefa trwy astudiaeth o'r dirwedd, ac adnabu'r arbenigwr mawr ar y pwnc, Dr Elwyn Davies, Fynydd Hiraethog fel ardal ddelfrydol i astudio'r ffenomen hon trwy ddefnyddio mapiau degwm manwl yr 1840au fel ei brif ffynhonnell. O'r rhain, medrai ddangos mai bythynnod oedd yr hafotai gwreiddiol gydag un neu ddau amgaead ym mhen uchaf y fferm. Yn raddol datblygwyd y rhain yn lleoedd byw parhaol, gan greu caeau mwy o faint o'u hamgylch, a mwy fyth o borfeydd geirwon – ffriddoedd – yn uwch i fyny'r llethrau. Mae enwau sy'n cynnwys geiriau fel 'hafod' (e.e. Hafod, Bryn Hafod a Hafod-gau) yn dynodi lleoedd un ai wrth ochr neu ychydig y tu ôl i'r hen wal fynydd, fel arfer ar ucheldir o 800 i 900 troedfedd ac weithiau'n uwch.

Daeth y traddodiad o drawstrefa i'w ddiwedd tua'r un pryd â nodwedd arall; arferiad a ystyrid yn unigryw i Gymru, er yn wir ceid y ffenomen mewn meysydd llawer ehangach. Cyfeirio rwyf at yr arferiad lle byddai'r tlawd, na feddent na thir na chartref, yn dewis darn addas ar dir comin agored neu fynydd, ac ar y slei, gyda chymorth perthnasau a chyfeillion agos, yn adeiladu bwthyn bach syml yn nhwll y nos, sef tŷ unnos, a'i hawlio ynghyd â darn o dir yn eiddo iddo ei hun. Fel mae'n digwydd, mae un o ddisgrifiadau cynharaf y broses yng ngwaith Thomas Edwards, Twm o'r Nant, ar ran dyn dal tyrchod tlawd a musgrell sy'n gofyn i'w gymdogion am gymorth i adeiladu'r math hwn o dŷ ar fynydd ger Llanuwchllyn yn 1790. Gwyddom oddi wrth dystiolaeth o ddogfennau eraill fod bythynnod fel hyn yn wir wedi eu hadeiladu mewn noson. Ni chynlluniwyd hwy fel bythynnod parhaol, ond er hyn gallent dderbyn 'perchennog' newydd (tybient eu bod yn berchenogion dim ond i gael eu dadrithio fel arfer) a gallai gymryd hyd at ddeg i bymtheg mlynedd i gynilo digon i adeiladu tŷ mwy parhaol. Cesglir oddi wrth enw ambell un i'r tŷ gwreiddiol dros dro fod yn un bregus – Tyddyn y Priccia neu Clod Hall, er bod eraill ag enwau mwy disgrifiadol, neu obeithiol fel Castell y Gwynt neu Drws Gobaith.

Cydoesai'r cau anghyfreithlon hwn gydag oes olaf bwysig y cau mwy cyfreithlon yng Nghymru, pryd y byddai landlordiaid cyfoethog neu bobl ddylanwadol eraill yn pwyso ar y Llywodraeth am Ddeddfau Cau preifat, a thrwy hynny, gan anwybyddu anghenion y preswylwyr tlawd a ddisodlwyd, medrent rannu'r tir comin mewn plwyf yn unol â'r maint a feddent eisoes. Trwy hyn, gostyngodd y 62,080 erw o dir comin a oedd yn weddill yn Sir Ddinbych yn 1821 i 48,000 erw erbyn 1840. Fel hyn y mae Hugh Evans yn dwyn y broses i gof:

> Pan oeddwn yn hogyn, yr oedd rhaib y ffermwyr mawr am ragor o dir yn ddihareb. Rhuthrent am ddarnau o'r mynydd ... Gwyliai rhai am y tyddynnod bychain yn myned yn wag, ac aent at y meistr tir a chynigient fwy o rent, ac fel rheol llwyddent [felly] i gydio maes wrth faes ... Cysylltwyd cannoedd o fân dyddynnod a theneuwyd y boblogaeth.

Erbyn hyn roedd dyffryn cul afon Cledwen yn dir amgaeedig yn ymwthio fel tafod i gyfeiriad y de a'r mynydd-dir agored; roedd mwy neu lai yr holl dir hyd at 1250 troedfedd uwchben y môr wedi ei amgáu, tra parhâi'r tiroedd uwch yn rhostir agored tonnog, fel yr ymddangosant heddiw i raddau helaeth. Roedd amgáu a gwella'r tir ynddo'i hun yn dasg gorfforol feichus, p'un a gâi ei wneud gan dyddynnwr uchelgeisiol neu dan gytundeb gan dirfeddiannwr mawr. Rhaid oedd i'r waliau cerrig fod yn ddigon uchel a chryf i rwystro'r anifeiliaid rhag crwydro a pheth da oedd clirio'r cerrig mawr o'r caeau gerllaw. Ond roedd y ddaear yn wydn – mor galed â chroen tarw yn ôl Hugh Evans – fel nad oedd yr un aradr ar gael oedd yn ddigon cadarn i'w aredig, nac un gaseg yn ddigon cryf i'w thynnu. Roedd yn rhaid trin yr wyneb dryslyd, na chawsai ei aredig o ddifrif cynt, gan ddynion ar y cyntaf yn gwthio aradr bychan efo'u cyrff am y nesaf peth i ddim, os yn wir yr oedd ceiniog i'w chael am y gwaith. Wrth gasglu'r cnwd, fe'i torrwyd gyda chryman medi neu gryman yn hytrach na chyda'r bladur ddiweddarach.

Nid oes ryfedd, felly, mai'r tueddiad o ddechrau'r bedwaredd ganrif ar bymtheg oedd i'r trigolion adael cefn gwlad. Ar ddechrau'r ganrif trigai 80% o bobl Prydain yn yr ardaloedd gwledig; erbyn 1851 roedd hwn i lawr i'r hanner, ac erbyn 1871 i ddim ond chwarter. Wrth gwrs creodd y Chwyldro Diwydiannol swyddi newydd dirifedi yn yr ardaloedd a ddiwydianwyd, ond roedd yna ffactorau eraill a arweiniodd at ddiboblogi cefn gwlad. Cyfunwyd ffermydd gan y tirfeddianwyr yn fwriadol er mwyn arbed arian ar y cynnal a chadw pan oedd economi'r diwydiant yn isel. Dechreuodd yr arferiad hwn cyn hyn: yn 1810 dywed Walter Davies:

> Ar ddechrau'r ddeunawfed ganrif, roedd ffermydd yn llawer llai nac oeddynt ar hyn o bryd. Ers y cyfnod hwnnw roedd yr arferiad o gyfuno tri neu bedwar o randiroedd, ac weithiau naw neu ddeg, yn gyffredin.

Ac fe barhaodd. Ym mhlwyf Llanefydd cyfunwyd un ar hugain o ffermydd rhwng 1870 ac adeg ymchwiliad y Comisiynwr Tir yn 1895. Gallai R. Wynne Jones restru 182 o ffermydd a bythynnod y clywodd amdanynt a oedd yn adfeilion ym mhlwyf Llansannan yn 1910.

Tyfai'r ffermwyr geirch yn y plwyfi hyn, a nemor ddim ond ceirch; fel y dywedodd Walter Davies yn 1810:

> Ar rannau o Fynydd Hiraethog ... ni heuir unrhyw rawn ar wahân i'r gwenith gwydn; a gwelir caeau cyfan o geirch ambell i flwyddyn, yn wyrdd fel cennin ym mis Hydref, ac yn annhebygol o aeddfedu o gwbl.

Yn ei Eiriadur Topograffig (1833), ni welodd Samuel Lewis reswm i newid y disgrifiad hwn ac fe'i defnyddiodd air am air, pan ddisgrifiodd y plwyf fel un 'anghysbell a mynyddig, gan mai oddi yma y tardd afonydd Elwy, Aled ac Alwen'. Dibynnai'r ffermwyr ar geirch, mymryn o haidd ac ychydig o datws, gan na thyfai fawr ddim arall ar y tir digysgod a heb ei drin. Heuwyd ceirch am dair blynedd yn olynol, gan gynhyrchu cnwd iawn yn yr ail flwyddyn yn unig am mai ychydig o dail a chwalwyd ar y caeau. Gadewid hwy am bump neu chwe blynedd ar ôl y cnwd olaf, i'w cael yn borfa cyn ailweithio'r cylchdro. Ond prif gynhaliaeth yr economi oedd magu eidion a defaid i gyflenwi cig a gwlân. Magwyd y gwartheg ar laswelltir amgenach gerllaw'r ffermdy, gan fwydo gwair mynydd i'r rhai na fwriedid eu gwerthu yn yr hydref. Gaeafwyd y mamogiaid ar ffermydd y gwastadeddau, cyn bwrw'u hŵyn yn y gwanwyn yn y caeau gerllaw'r ffermdy a'u symud yn ôl i bori'r bryniau ym mis Mai.

Daethai'r hen arferiad o fynd â'r gwartheg i'r mynydd i ben erbyn y bedwaredd ganrif ar bymtheg. Roedd y ffermwyr mynydd yn dechrau sylweddoli fod mwy o arian mewn cadw defaid, er y gallent weld fod angen ychydig o fuchod ar gyfer eu llaeth a'u gwrtaith. Wrth gwrs roedd porfeydd y mynydd yn gweddu'n well i ddefaid. Doedd rhedeg fferm gymysg yn seiliedig ar geirch a gwartheg duon erioed wedi bod yn hawdd yn y dyffrynnoedd culion ac ar y bryniau geirwon, gan y dibynnai trafnidiaeth amaethyddol ar y car-cefn a'r car-llusg; er iddynt gael eu hadeiladu'n bwrpasol ac yn ddelfrydol ar gyfer llethrau serth, ni allent er hynny ddim ond cario llwythi bach.

Ond beth am Fron Haul? A oes modd penderfynu beth oedd y lle yn wreiddiol? A oedd yn hafod, neu yn dŷ unnos, ac os nad oedd y naill na'r llall, beth oedd, a phryd y daeth i fodolaeth? Mae craffu yn ofalus ar gaeau Pant-y-foty a Bron Haul yn awgrymu bod eu gwreiddiau yn hen, gydag un neu ddau o gaeau bychain iawn yn cwmpasu buarth y ffermydd. Mae gan Bant-y-foty bum cae arall o faint canolig sy'n ffurfio cylch mewnol, ac amgaeir hwy'n rhannol gan ffin grom a all ddynodi ehangu pellach, yn y ddeunawfed ganrif efallai. Mae'n debyg mai dim ond dau gae bychan a barhâi ym Mron Haul dros y bryn. Amgaewyd tri chae mawr arall fel ychwanegiad at Bant-y-Foty i gyfeiriad Mynydd Hiraethog, gan greu ffin unionsyth tua'r dwyrain. Cyfatebai'r wal hon ar y gweundir ag un ychydig lathenni i ffwrdd, gan greu ffin a mynediad i'r mynydd ar yr un pryd ag yr ychwanegwyd saith cae pellach at Fron Haul.

Digwyddodd hyn erbyn 1818, fel y gwelwn o ddrafft manwl Robert Dawson at fap cyntaf yr Ordnans. Ond mae pryd yn union y gwnaethpwyd hyn a chan bwy yn ddirgelwch, oni ddaw rhyw ddogfen sy'n cynnwys yr holl atebion i'r fei. Rhestrir nifer o drigolion Bron Haul a Phant-y-foty yn gynnar yn y bedwaredd ganrif ar bymtheg mewn dogfennau megis cofrestr y plwyf. Bu farw Henry Jones o Fron Haul yno yn 1824 yn 25 mlwydd oed, fel y gwnaeth Eliza Hughes yn blentyn bach, a Jane Wynne yn 1831 yn 72 mlwydd oed. Yn 1833, bu farw David Williams yno yn dri mis oed a William Jones yn 1836 yn seithmlwydd oed. Yn 1842, dengys y Map Degwm a luniwyd gan Robert Roberts, prisiwr o Fetws Gwerful Goch mai perchennog a ffermwr Bron Haul oedd William Williams ac mai perchennog Pant-y-foty oedd David Owens. Disgrifir William Williams fel 'labrwr amaethyddol' yng nghyfrifiad 1841 pan oedd ef a'i wraig a'u tri phlentyn oedd yn ddeunaw, chwech a phedair oed eisoes yn byw ym Mron Haul. Yn wahanol i lawer o blwyfi cyfagos, nid oedd Gwytherin yn llwyr neu hyd yn oed yn rhannol yn eiddo i un stad; yn hytrach roedd ym mherchenogaeth nifer o fân berchenogion. Tirfeddiannwr mwyaf y plwyf â 450 acer oedd yr Arglwydd Niwbwrch ond pedair fferm yn unig oedd ganddo (gan gynnwys Bryn Clochydd).

Mae'r Mapiau Degwm yn ffynonellau gwybodaeth gwerthfawr. Hyd at deyrnasiad Victoria, disgwylid i bob deiliad tir dalu degwm ar ei holl gynnyrch tuag at gyflog y ficer lleol. Galluogodd Deddf Gymudol 1836 newid degymu i daliad, a gwnaethpwyd mapiau manwl o bob plwyf i'w gwneud yn haws i amcangyfrif y swm dyledus. Gan fod llawer o'r tenantiaid yn Anghydffurfwyr, roedd llawer o wrthwynebiad a daeth Sir Ddinbych yn gadarnle Rhyfel y Degwm yn y 1880au. Yn ôl yr asesiad, maint Bron Haul oedd 44 acer. Roedd yno naw cae, tri ohonynt (7 acer) yn dir âr, dau (11 acer) yn borfa neu weirglodd a thri (19 acer) yn borfa arw neu 'ffridd'. Y caeau âr oedd y rhai llai oedd o gwmpas y tŷ, a'r tir yno ychydig yn well, o bosib. Erbyn 1879, rhannwyd y naw cae oedd gan Bron Haul yn 1842 yn ddeuddeg.

Cyfeiria gweithredoedd sydd ym meddiant y teulu at ddogfen ddyddiedig 1845 'o dan law a sêl y Gwir Anrhydeddus Henry Pelham Clinton, Iarll Lincoln ac Alexander Milne dau o Gomisiynwyr ei Mawrhydi dros Goedwigoedd, Fforestydd a Refeniw Tir' a oedd hefyd yn cadw'r hawl i fwyngloddio, chwarelydda a hela i'r Goron. Crëwyd y Comisiwn dros Goedwigoedd, Fforestydd a

Refeniw Tir yn 1810 i sicrhau'r incwm gorau posibl o diroedd y Goron. Penodwyd tri chomisiynydd ar y tro, a gwasanaethodd y tri a enwyd yn y ddogfen hon o 1841 hyd 1846. Olynodd Iarll Lincoln ei dad fel Dug Newcastle yn 1851, ac yn ddiweddarach daeth yn Ysgrifennydd Cyntaf Iwerddon ac yn Ysgrifennydd Rhyfel. Gellir tybio fod gan y comisiynwyr ddiddordeb ym Mron Haul oherwydd fe'i hamgaewyd hi o wastraff y Goron heb gyfreithlondeb Deddf Cau Tir gan y Senedd.

Yn 1854 dim ond chwarter o'r tir gan gynnwys Gwytherin yn Neddf y Tlodion Ardal Llanrwst, oedd yn dir âr; roedd tua'i hanner yn borfa arw, tra bo'r chwarter oedd yn weddill – yn Nyffryn Conwy am y rhan fwyaf – yn borfa barhaol. Ffermydd canolig eu maint oeddent yn gyffredinol, gyda chyfartaledd o tua 95 erw, a'r duedd oedd i gadw defaid yn hytrach na gwartheg, a defaid rhan fwyaf ar y tiroedd uchel. Dyma'r math o ffermio y gellid ei adnabod ganrif yn ddiweddarach, gyda'r ffermdy a'r buarth yn cael eu cwmpasu gan nifer o ddolydd bychain ac â chaeau âr lle tyfid gwreiddlysiau, tatws a cheirch. Yn uwch ceid caeau garw ac yna'r ffriddoedd, lle symudwyd yr anifeiliaid yn y gwanwyn er mwyn hwyluso lle ar yr iseldir i gael plannu cnydau ac i roi cyfle i laswellt ifanc dyfu yn y ffriddoedd agored. Casglwyd y defaid yno yn ogystal ar gyfer ŵyna, eu golchi a'u cneifio. Cyrhaeddai'r ffriddoedd a wal y mynydd hyd at 1,000 neu 1,100 troedfedd uwchlaw'r môr. Penderfynwyd ar safle wal y mynydd yn ôl y newid yn ansawdd y tir, sef yn uwch na'r porfeydd o beiswellt a'r dryslwyni gwasgarog o goed derw bychain, bedw, gwern, drain gwynion ac ardaloedd o eithin a rhedyn. Gellid trawsnewid y rhain i gyd, gydag anhawster, yn ffridd, ac oddi tanynt ceid porfeydd a rhostir grug na ellid eu pori ond am gyfnodau byr yn yr haf.

Ceir disgrifiad byw iawn o ganlyniadau'r math hwn o amaethyddiaeth ynghyd â'r tywydd drwg nodweddiadol o

ddechrau'r bedwaredd ganrif ar bymtheg gan Robert
Roberts:

> The climate of the *cwm* was cold, and the soil poor
> and exposed: little of the acreage was tilled, and the
> crop on that little was poor and uncertain, and as
> Havod was the last or highest farm in the *cwm*, the
> land was, of course, the most exposed in the whole
> valley. Some scores of acres on the sunny side of the
> *cwm*, near the little brook ... were somewhat better
> sheltered, and it was here that a little wheat was
> grown, not for sale but to furnish the family with 'bara
> canrhyg', their treat on Sundays and other high days.
> On the higher slope of the hills enough barley was
> grown for the use of the family, and in good seasons a
> few bushels more which went towards rent and taxes.
> But it was upon the crop of oats that the farmer chiefly
> depended for his rent money. And this ripened so late
> – if it ripened at all, which it sometimes did not – that
> the snows of November were often on the ground
> before the harvest was all in. Then when the poor
> crop was shaken out of the snow and housed, the
> grain was so sodden that no kiln-drying could make it
> wholesome or palatable food, and as to its market
> value it was, of course, nil.
>
> One such season followed in a year or two after the
> opening of our story. The summer was cold and wet.
> The turf which had been cut in the bog for winter
> consumption never dried, but was reconverted by the
> constant showers into its primitive state of black mud,
> and so the stock of fuel was spoiled. The hay was
> plentiful, but badly harvested, and black, mouldy, and
> sour. And when autumn came and no sign of better
> weather, the farmer's prospects became black indeed.

David & Sarah Griffith,
Jeanie, Annie, John
Bron Haul, Gwytherin c. 1897

Catherine Griffith
Ty'n Ddôl, Gwytherin
c. 1915

Creodd Rhian Haf, artist gwydr a fagwyd ar y brif fferm, Bryn Clochydd, brosiect diddorol ym Mron Haul: gwnaeth ffenestri cain – gan gynnwys dynwarediad o lenni les – a'u gosod yn yr adfail, gan wneud argraff nodedig!

Glass artist Rhian Haf, who was brought up on the main farm, Bryn Clochydd, initiated an interesting project at Bron Haul: she made various stylized windows – including a recreation of lace curtains – and inserted them in the ruin, to striking effect.

70

The few acres of wheat in the lower valley was ripened after a fashion and gathered in, half dry, trusting to the airy barn to complete in some measure the process of drying. But even this unsatisfactory harvest was better than the oats on the hills. Before the crop was gathered in, a great snowstorm came on, and the sheaves of corn were nearly covered with it. Of course, the crop was all spoiled. The grain sprouted in the sheaves, and the green sodden produce hardly paid for the trouble of carrying it to the farmyard, when the melting of the snow rendered such an operation possible.

Nid oedd yr adeiladau parhaol a welid yma ac acw y naill ochr i'r wal fynydd fawr gwell na'r tai unnos neu'r hafotai. Noda Ymddiriedolaeth Archeoleg Clwyd-Powys wrth drafod ffermydd yn yr union ardal hon mai:

In their original form many of the eighteenth and earlier nineteenth-century dwellings were low, single-storey, stone-built structures with a central chimney, and often accompanied by a small outhouse and occasionally by a pigsty, some of the houses being associated with small stone quarries which evidently provided the source of building materials.

Dyma ddisgrifiad Hugh Evans o'r adeiladau:

Toid y tai â gwellt, grug, neu lafrwyn, a rhoddid tywyrch trum ar y grib. Clai a gwellt fyddai'r morter yn aml. Os toid ambell un â llechau tewion ni feddylid am roi plaster o dan y to fel yn awr; felly, er cadw'r gwynt, y glaw a'r eira allan, yr oedd yn rhaid ei fwsoglu ... Un ystafell oedd yn y rhan fwyaf o dai y gweithwyr,

ond rhoddid dreser a chwpwrdd *pres* ar draws yn aml
i wneud siamber. Weithiau rhoddid croglofft wrth
ben y siamber, ac ysgol symudol i fynd iddi o'r gegin .
.. Byddai'r simnai yn agored, y tân o fawn, carreg ar yr
aelwyd, a'r llawr yn llawr pridd. Yr oedd tai y ffermydd
ychydig yn well.

Ond fel y dywed Hugh Evans, toeau gwellt oedd ar lawer o'r
tai ffermydd yn ogystal â'r bythynnod yn y bedwaredd ganrif
ar bymtheg, sy'n dangos eu dibyniaeth ar ddeunyddiau lleol.
Cawn ddarlun clir yn atgofion Evan Evans, a oedd yn
wreiddiol o Wytherin, o sut y defnyddient wellt a brwyn at
doi yn yr ardal yn nechrau'r ugeinfed ganrif. Dywed hefyd
mai'r sylfaen fel arfer oedd bangorwaith wedi'i wau oddi
amgylch y trawstiau. Roedd hon yn hen dechneg a fyddai'n
cryfhau preniau'r to. Gwnïwyd haenen o wellt i mewn i hwn,
a gwthiwyd yr haenen uchaf i mewn iddi, ddyrnaid wrth
ddyrnaid, gan ddefnyddio teclyn fforchog arbennig, sef topren.
    Mae'r cofrestri plwyf yn dal i olrhain trigolion Pant-y-
foty hyd at yr ugeinfed ganrif, ond does dim gair am y bobl a
drigai ym Mron Haul. Ai am eu bod yn gapelwyr? Yr oedd y
teulu Griffith, y cawn gwrdd â nhw yn fuan, yn mynychu'r
capel er iddynt gael eu claddu ym mynwent yr eglwys.
Dengys cofnodion cyfrifiad 1851 fod y William Williams y
soniwyd amdano'n gynharach wedi ymadael â Bron Haul yn
1851 a Robert Evans, ei wraig a'i ferch (y ddwy yn Jane)
wedi cymryd ei le fel tenant os nad perchennog. Yr oeddynt
yn dal yno yn 1861, â'u mab deg ar hugain oed hefyd yn
bresennol ar ddydd y cyfrifiad. Erbyn 1871 roedd William
Evans wedi cymryd y lle gyda'i wraig Anne a'u tair merch
fach; roedd William wedi marw erbyn 1881, pan gofnodir
mai Anne oedd y ffermwr. Roedd y tair merch yn dal i fyw ar
y fferm, ond roedd gŵr y ferch hynaf, Sarah, a oedd yn
ddeunaw oed, yno hefyd, ac yntau'n deiliwr o'r enw

Ebenezer Morris. Roedd Anne, a hithau'n 60 oed, yn dal yno yn 1891, â'i merch ieuengaf o'r un enw yn unig yn gwmni. Ni wyddys yn iawn pwy oedd perchennog Bron Haul yn y cyfnod hwn. Fodd bynnag, rywbryd yn negawd olaf y bedwaredd ganrif ar bymtheg, symudodd y gŵr ifanc ar ei ben ei hun, David Griffith (1862-1923) o'i gartref to gwellt Cornwal Fatw i Fron Haul, a thua 1893 daeth morwyn ato, Sarah Hughes (1876-1943), merch fferm Llethr. Priodasant a chael tri ar ddeg o blant. Merch oedd eu pumed plentyn, Catherine, ac ym 1978 rhoddodd ei hatgofion ar glawr.

Gwyddom o ddarllen atgofion Catherine Owen sut yr edrychai Bron Haul yn ystod degawd cyntaf yr ugeinfed ganrif. Tŷ unllawr ydoedd â waliau cerrig, yn cynnwys pedair ystafell oer a diaddurn. Canolbwynt y tŷ oedd yr aelwyd â'i grât hen-ffasiwn a dwy lechen fawr ar bob pentan lle rhoddwyd potiau pridd yn llawn hufen i'w dewychu cyn ei gorddi i wneud menyn. Uwchben y lle tân roedd cadwyn i hongian tegell neu grochan yn ôl y galw. Oddi yma y ceid y dŵr poeth angenrheidiol ar gyfer golchi dillad, coginio a gorchwylion eraill y tŷ. Ceid defnydd amrywiol i'r crochan, nid yn unig i ferwi dŵr a hylifau megis brwes, sucan a llymru – bwydydd y dibynnwyd arnynt am eu maeth (gan mai ychydig iawn o gig oedd ar gael a phan oedd, fe'i rhostiwyd o flaen y tân neu'n amlach na pheidio, ei ferwi). Defnyddid y crochan hefyd fel popty i grasu bara trwy ei droi â'i phen i lawr – bara cetel fel y'i gelwid. Fe'i rhoddwyd ynghanol y lludw o dan y grât, yr 'uffern', ac os nad oedd y lludw'n eirias, rhoddid hefyd gywion bach gwantan yno i gryfhau ('cyw a fegir yn uffern ...'). Rhoddwyd prif ddodrefn y tŷ yn y gegin/ystafell fyw ar wahân i'r gwelyau – dresel derw, cwpwrdd gwydr i arddangos ychydig o drysorau gwraig y tŷ, cloc mawr, cadair freichiau o bren, bwrdd mawr wedi ei sgwrio'n lân, meinciau a bwrdd bach crwn del i David a Sarah Griffith fwyta wrtho ger y tân.

Cadwai David Griffith bedair o fuchod a gwnâi'n siŵr y byddai digon o borthiant i bara dros y gaeaf. Dim ond ychydig o'r caeau y byddai'n eu haredig a doedd ganddo na chwt na sied i gadw'r cnwd. Rhaid oedd iddo ddefnyddio brwyn o'r corsydd gerllaw i roi gorchudd ar ei deisi gwair a gwellt. Roedd y mynydd yn ddefnyddiol hefyd fel porfa yn yr haf a chesglid cerrig yno i godi waliau ac adeiladau; ac yn aml ceid chwarel fechan gerllaw'r tai. Treuliai'r teulu ddiwrnod cyfan bob blwyddyn yn torri brwyn, tipyn o sbort i'r plant o leiaf, cyn ei lwytho ar drol. Roedd yn ddefnyddiol ar gyfer to i'r tai a'r teisi yn ogystal ag i greu gwely cysurus i'r gwartheg. Byddai'r brwyn yn hanfodol hefyd yn y tŷ i wneud canhwyllau cyn dyfodiad y lamp olew. Go brin y gallai'r teuluoedd ar y mynydd fforddio canhwyllau gwêr drud. I wneud cannwyll frwyn, tynnid y plisgyn oddi ar y brwyn cyn eu gollwng nifer o weithiau i saim poeth i'w tewychu ac yna eu gosod mewn canhwyllbren pwrpasol. Gwelir olion diferion y gannwyll frwyn hyd heddiw ar ambell i hen ddodrefnyn.

Cyn dyfodiad y rheilffyrdd i gario glo ar draws gwlad, yr unig danwydd effeithiol i gynhesu'r gegin oedd mawn. Ym mis Mai yr aethai David Griffith ati i dorri mawn gan ei fydylu a'i adael i sychu dros yr haf a'i gario ym mis Medi i le cysgodol dan orchudd ger y tŷ. Defnydd arall a wnaed o'r tir oedd codi tyweirch i'w rhoi yn stribedi ar grib toeau adeiladau a thai i'w cadw'n sych rhag y glaw. Casglent hefyd fwsogl yn ofalus at yr un perwyl er mwyn ei wthio o dan y llechi ac yn aml rhwng cerrig waliau'r bythynnod. Byddent hefyd yn casglu grug ar gyfer toeau; y tŷ to grug olaf hysbys yng Nghymru oedd Bwlch-du yn Nantglyn.

Rhaid sôn am fath arall o gnwd a oedd yn gyffredin yr adeg honno i fwydo ceffylau, a gwartheg hefyd weithiau, sef eithin. Cedwid un neu ddau o gaeau yn y rhan fwyaf o ffermydd ar gyfer plannu eithin, a theithiai ambell i ffermwr gryn bellter i sicrhau cyflenwad. Rhannwyd cae o eithin yn dri gyda thyfiant blwyddyn yn un rhan, tyfiant dwy flynedd mewn rhan arall a thyfiant tair blynedd yn yr olaf a dim ond y rhan honno a dorrwyd. Defnyddient bladur a chryman ar gyfer y torri; hynny ddwy neu deirgwaith yr wythnos cyn ei gasglu'n ysgubau. Byddai teisi o eithin ar rai ffermydd. Yna byddai'n rhaid ei baratoi a'r traddodiad oedd defnyddio teclyn arbennig tebyg i ordd â dau lafn metel ar draws ei waelod i guro'r eithin. Erbyn 1847 gallai'r sylwebydd amaethyddol, O. O. Roberts nodi fod peiriannau tebyg i felinau us wedi disodli'r arferiad mwy neu lai a gallent fwydo'r eithin i mewn iddynt gan ddefnyddio maneg eithin bren bwrpasol. Ar rai ffermydd gwell ceid melinau dŵr i gleisio'r eithin fel yr un o Ddeheufryn, Dolwen a welir heddiw yn Amgueddfa Werin Cymru yn Sain Ffagan. Ambell waith fe gymysgid yr eithin gyda thatws cyn ei fwydo i'r anifeiliaid. Yn ogystal â defnyddio eithin yn fwyd anifeiliaid, fe'i rhoddwyd o dan y teisi i rwystro llygod mawr rhag cyrraedd y gwair a'r ŷd a gwnaed defnydd eang ohono i ffurfio haen sylfaen toeau gwellt.

Yn yr ardaloedd is yn y bedwaredd ganrif ar bymtheg rhoddwyd yr anifeiliaid i gysgu ar wely o wellt. Ond ar y bryniau defnyddid brwyn a rhedyn a chan fod mwy o 'botash' mewn rhedyn nag mewn gwellt, gwnâi well tail. Roedd tri chynhaeaf ar ffermydd yr ucheldir, gwair, ŷd a rhedyn ac os oedd yr anifeiliaid dan do yn ystod y gaeaf dibynnent ar y cnwd o redyn i gael gwelyau cysurus. Ceir disgrifiad da o'r gorchwylion yn ymwneud â gwartheg yn y bedwaredd ganrif ar bymtheg a'r ugeinfed ganrif gan F. Wynne Jones: roedd fferm ei deulu ef yn Llandrillo tipyn mwy na Bron Haul ond yr un oedd y prosesau angenrheidiol yno:

During winter the cattle would be in the cowhouse day and night, though in other seasons they would be out grazing ... In winter one of the most important chores connected with the cattle would be watering, that is, letting the cattle out, a few at a time, to drink in the pond. Every shed in the yard would be full of calves and yearlings and bullocks, and the two outhouses full of milking cows and heifers ... Before starting on the work we would have prepared a pile of feed in the feed preparation shed, namely a mixture of straw and swedes prepared by the various water-driven machines, and while the cattle were out we would carry the necessary amount of feed in a basket and put in the trough. We would also lay bracken or straw on the floors of the sheds and muck out the cowhouses ... For the cattle's supper it was necessary to cut hay from the stack or shed and carry it to the feeding passage and barn ready to put in the racks. On the weekend, enough feed for two days had to be prepared and carried to the cowhouses, if they had room to store it.

Byddai wedi bod yn greulon disgwyl i ferlen dynnu trol i fyny'r llechwedd serth i Fron Haul, hyd yn oed trol gymedrol o ran maint ac fe gofia Catherine Owen fod ewythr iddi wedi gwneud trol fach bwrpasol – un a oedd yn addas i'w thad gario bwyd a nwyddau i'r teulu yn ogystal â phorthiant o Wytherin i'r gwartheg, lloeau, mochyn, defaid, ieir ac i'r ferlen ei hun. Byddai David Griffith yn torri ei wair ei hun, gyda chymorth cyfaill, a hynny â phladur; byddai cnwd arbennig o dda yn y tri chae agosaf i'r tŷ. Byddai'n gwneud rhyw geiniog fach ychwanegol trwy fugeilio ar y mynydd; gwaith digon peryglus gan y byddai'n hawdd mynd ar goll mewn niwl neu ar gorsydd sigledig ac ymysg y nentydd dirifedi.

Dyna ddyletswyddau'r ffermwr. A beth am ei wraig? Yn ogystal â geni a magu tri ar ddeg o blant rhwng ei deunaw a'i deugain oed o 1894 ymlaen, byddai Sarah Griffith wedi

gweithio yr un mor galed â'i gŵr ac am oriau hirach. Heb
forwyn ar fferm fechan byddai ei gorchwylion yn fwy
beichus (er hyn, yr arferiad oedd i'r plant hynaf a
pherthnasau ymroi i helpu). Byddai ganddi waith bwydo
teulu mor fawr bob un dydd. Yn ôl Ivan Thomas Davies, tyst
a ymddangosodd o flaen aelodau'r Comisiwn Tir yn y Bala
yn 1895, dyma'r math o bethau a fyddai ar fwydlen fferm
fynydd:

> First of all we had some bruised oatmeal cake and
> butter-milk; then we had some bread-and-butter and
> tea. For dinner we had bacon and potatoes. For tea,
> about three or four o'clock, we used to have a lot of
> *sucan*, followed by a cup of tea. *Sucan* is a kind of thin
> flummery ... Then we had porridge or bread-and-
> cheese for supper!

Mae'n debyg na newidiodd y fwydlen uchod am ganrifoedd
gan barhau hyd yr ugeinfed ganrif. O leiaf nid oedd yn rhaid
i Sarah gyflenwi anghenion y pump ar hugain o blant oedd
gan Beti Jones yn ôl disgrifiad Hugh Evans. Pan ofynnodd
iddynt beth hoffent i swper cafodd restr o 24 gwahanol fath
o fwyd lled-hylifol, o geirch yn bennaf. O'r ceirch a dyfwyd
yn y caeau gwnaent flawd ceirch a blawd llymru. Cedwid y
ceirch mewn cistiau yn y tŷ a byddai'n ddefnyddiol fel
sylfaen i fwydach megis cawl a gwahanol fathau o uwd:
griwel, llymru a sucan. Roedd llefrith yn faeth arall o bwys yr
adeg hynny. Byddai'r wraig efallai yn godro, bwydo'r lloeau
(os nad oedd plant hŷn ar gael), a gwneud holl waith y
llaethdy, corddi ar gyfer menyn a chaws – gan werthu
ychydig am arian poced, ynghyd â'r wyau. Byddai'n bwydo
maidd i'r moch yn ogystal â berwi tatws bychain iddynt yn y
briws. Roedd y rhan fwyaf o'r cig a fwyteid yn dod o ladd
mochyn; byddent yn ei drin ac yn hongian y cig bras o'r

distiau. Dim ond ambell fuwch nad oedd yn ddigon da i'w
gwerthu am arian rhent a laddent ar gyfer ei bwyta.

Byddai'r wraig yn crasu yn y grât agored a hi oedd yn
gorfod dilladu'r teulu mawr. Disgrifia Catherine Owen sut y
byddai ei mam yn gwneud y gorchwyl hwn a thasg nid
hawdd oedd y golchi, gyda haid o blant bywiog a'i gŵr yn
aml â'i ddillad yn wlyb socian ar ôl bod allan yn niwl y
mynydd. Mae'r ddiweddar Minwel Tibbot wedi disgrifio
dull mwy anghyffredin o wneud y golchi yn ardal
Llansannan a Gwytherin yn nechrau'r ugeinfed ganrif. Yn lle
cario dŵr i'r tŷ byddent yn mynd â thwb o ddillad budron at
yr afonig agosaf, cynnau tân o dan foeler haearn mewn man
cysgodol a chwblhau'r holl waith yn cynnwys rinsio yn lled
ddidrafferth. Gan fod ffynnon Bron Haul yn agos i'r tŷ nid
dyna a wnâi Sarah ond roedd y broses o sychu'r dillad yr un
fath, sef eu taenu ar y cloddiau a'r llwyni drain ac yna eu
smwddio gyda haearn a gynhesid ar y tân. Ar ben hyn oll
byddai'r fam brysur yn rhoi cymorth ar adeg ŵyna a chydag
unrhyw beth arall oedd ei angen.

Erbyn yr 1950au byddai'n arferol i ffermwyr yr iseldir
rentu neu brynu fferm arall yn yr ucheldir, fel sy'n digwydd
heddiw, a honno'n aml gryn bellter i ffwrdd, gan weithredu
dull yr hafod a'r hendre fel y soniwyd amdano eisoes. Mae'r
dirwedd heddiw felly yn cynnwys ffermydd gwasgaredig yn
ogystal â thai fferm gweigion gan ddilyn y diboblogi sydd
wedi nodweddu ucheldir Cymru ers dechrau'r bedwaredd
ganrif ar bymtheg.

Yn 1907 symudodd y teulu Griffith o Fron Haul, ddwy
filltir a hanner i lawr y cwm i Dy'n Ddôl, fferm deirgwaith
maint Bron Haul. Bu'n rhaid i David Griffith dreblu maint ei
stoc a phrynu rhagor o offer i wella'r tir, a gwnaeth hynny fel
y gallai; roedd y ffermwr a oedd yno o'i flaen ef wedi
esgeuluso'r tir. Erbyn hyn roedd gan David Griffith ddyn i'w
helpu a chyda'i gilydd cliriwyd hyd yn oed ffriddoedd mawr

o eithin a'u troi yn dir âr. Roedd y plant wrth eu bodd yno; yr un ffrindiau, ysgol a chapel oedd ganddynt, a nawr roedd ganddynt ffordd gysgodol iawn i gerdded i'r ysgol. Yn y modd yma, llwyddodd y teulu Griffith, fel llawer teulu arall a ymdrechodd i oroesi ar fynyddoedd Cymru, i wrthdroi traddodiad yr hendre a'r hafod a symud i fyw yn y cwm. Ffermiwyd Bron Haul yn rhan o fferm gyfagos Bryn Clochydd ac felly y mae o hyd. Mae ei hanes cymharol fyr felly yn cynrychioli mewn microcosm ran o'r llanw a thrai sydd wedi nodweddu'r defnydd o dir yn y mynyddoedd wrth i bobl ymateb i'r newidiadau a'r cyfleodd a ddaw yn sgil newid hinsawdd dros y canrifoedd.

Darllen Pellach

Cofnodion plwyf Gwytherin, www.clwyd-mi.co.uk/registers/gwytherin

Elwyn Davies, 'Hendre and Hafod in Denbighshire', *Transactions of the Denbighshire Historical Society* 26, 1977, 49-72

J. H. Davies, gol., *The Life and Opinions of Robert Roberts A Wandering Scholar as Told by Himself*, 1923

Walter Davies, *General View of the Agricultural and Domestic Economy of North Wales*, 1810

B. M. Evans, 'Settlement and Agriculture in North Wales, 1536-1650', Traethawd Ph.D., Caergrawnt, 1966

Hugh Evans, *Cwm Eithin*, 2il argraffiad, 1933

F. Wynne Jones, *Godre'r Berwyn*, ?1952

Samuel Lewis, *Topographical Dictionary of Wales*, 1849

Map Degwm plwyf Gwytherin, 1842, Archifdy Sir Ddinbych a Llyfrgell Genedlaethol Cymru

Thomas Pennant, *A Tour in Wales*, II, 1783

Report of the Royal Commission of Land in Wales, I, 1894; IV, 189

Eurwyn Wiliam, *Y Bwthyn Cymreig. Arferion Adeiladu Tlodion y Gymru Wledig 1750-1900*, 2010

Ymddiriedolaeth Archaeolegol Clwyd-Powys, Nodweddion Tirwedd Hanesyddol, Mynydd Hiraethog, www. cpat.org.uk/longer/histland/hiraeth

'The Old Pathways'
by Catherine Owen

A few years ago a series of radio programmes were broadcast once a week at noon under the title *Paths of Remembrance*. I looked forward to them avidly, delighted that so many of my generation could share their experiences, which were so similar to mine.

As I listened I decided that I too should gather together the few crumbs of remembrance on the table of the past, and commit them to paper, in case my descendants should find them of interest.

The vital question is, how much is there left in my memory? I fear that much has wandered off and gone missing during a lifetime spanning three quarters of a century; but in response to many fervid requests from my children, I'm going to have a stab at it – so here goes!

A white world

I was born in a farmhouse on the fringes of the Hiraethog Moors, a place called Bron Haul, Gwytherin, on the morning of the first Christmas Day of the twentieth century. Had I been able to see or hear anything that morning I would have observed that I'd been born into a white world, since the land was covered in snow. But although my world was white that morning – and perfect – it couldn't remain so, of course, since that would be unnatural. Snow comes and goes in our lives as does happiness; we can only give thanks for a little passing beauty in our existence.

It was an era of large families and I was one of thirteen children born to David and Sarah Griffith; I was fifth on the register. Bron Haul is a remote and inaccessible place some two miles above the little village of Gwytherin, which has a sacred history centred around the ancient church of St Winefride's.

In describing the village of Cefn Meiriadog where he was born, the poet Richard Huws of Birkenhead, a cousin to my mother, wrote a poem which evokes my own home village also:

> Only a fussless row of modest houses
> – who can guess their age,
> In a warm and quiet nook
> Below the hill, below the trees.
> A pale tavern, an ancient blackened forge
> With shop and school, church and bell tower,
> That's all – eternal, as if untouched by time.

The Hearth at Bron Haul

The farmhouse was a one-storey affair with four rooms, rather bare and chilly as I recall, though that didn't impair my childhood; home comforts weren't the big issue they are today. Making ends meet – that was our main aim. Mind you, we could make the place warm and welcoming when necessary.

The fireplace had an old grate with three iron crossbars. On either side of it stood two large square shelves made of black-leaded slabs – ideal for holding earthenware pots containing milk being prepared for churning. Butter was indispensable to every meal almost, but it was often in short supply. Our old Welsh Black cow couldn't produce as much milk as the cattle of today.

My father used his own word for milk – *enllyn* – which confused me. I can't recall getting an explanation, nor asking for one either. But I knew that in the New Testament our Lord Jesus had given Judas 'a dipped morsel' and I was left wondered if there was any connection.

Hanging above the fireplace was a chain which held a cauldron or kettle as the need arose. We relied on this system to obtain hot water for cooking, washing our clothes, or for housework. The grate used peat and we needed a good store to last all year. Under the fire was a special pit for the ashes. We burnt very little coal, and peat ash was different to coal ash since it hardly cooled from day to day. Yes, if anywhere needed warmth this was it!

I particularly remember the cauldron – it had three legs which stood in the ash pit when we were baking bread. Neither before nor since have I seen one quite like it, and I have no idea what happened to it. I know that there wasn't an oven of any sort in the house and my mother made bread in the hot ashes, using the cauldron with a lid on top. We called it kettle bread. It was similar to the steamed bread of today, only much nicer. Everyone enjoyed it. My mother also roasted meat in front of the fire in a special tin; the meat was put on hooks in the dish, which was put on a trivet, or metal stool, in the fire. But more often than not the meat was boiled to make a potage which was used in our breakfast *brwes* – bread or oatcake steeped in broth. Not a single thing went to waste in those days. In contrast to Bron Haul, people living lower down below us owned big brick ovens and had plenty of wood to fire them up.

Our home

A rough sketch of the big kitchen at the farmhouse would show: a light oak dresser; a glass-fronted sideboard; an eight-day clock; a wooden armchair (not particularly comfortable); a long white table with a bench which could be slid underneath it, and a round table.

That long white table was the best I ever saw – it was made by an uncle, my mother's brother John Hughes, later of

Llys Gwilym, Denbigh. He was a skilful, elegant carpenter.

The sideboard contained a mishmash of crockery and, on the lower shelf, a few books: The Big Bible; a hymn book; *Charles' Dictionary*; *The Pilgrim's Progress*; *Y Lladmerydd* ('The Interpreter', a religious magazine); *The ABC Book*; *The Children's Treasury* (Thomas Lefi).

Very few books came our way in those days, but if the books were scarce then the money to buy them was even scarcer.

At one end of the house there was a bedchamber with a small window. I recall that they'd light a 'Fire in the Chamber' when a new baby joined the family.

My father was obliged to visit the village fairly often to seek food for his family, and feed for the calves, the pig and the hens. We'd have to be especially careful and frugal to survive the long lean period at the end of winter. When the cows were without milk and the hens were on strike, that was a good time to turn to the pig, which by then hung from the mainbeam in the kitchen, so that we could enjoy a tasty rasher before facing the freezing weather outside.

The loss of the blue mare

If, for any reason, our parents lost an animal, the effect on our finances was terrible. I remember witnessing them both crying when they discovered the blue mare dead in the stable one morning, having aborted her foal. A loss such as that was felt very heavily in those days.

Also, sometimes a little lamb might lose its battle for life because there was no recourse to a vet. I only just about remember the blue mare incident, probably because she was in the stable and not at work. I recall the one that came in her place – Sam, a handy-looking chestnut foal which had unfortunately developed a nasty habit. When my father went to fetch him from the fields to start a day's work, Sam would run rings round his master. Whilst Sam had a great time, I couldn't help but feel sorry for his owner, who could do nothing but stand there with the halter and flour-tin in his hands, calling on my mother to help him. Our tricksy new foal failed to remain in the 'Eternal City' with us for he was sold and another bought, bearing the same name but having black hair. That one was more honest, and easy to handle.

The shade of the trees
Three tall trees grew in front of the house, with a little spring at the base of one of them. Those trees shielded us from the wind and gave us shade from the sun; they also provided an ideal place for us children to play. Sometimes I'd be sent on an errand, to fetch water with a four-pint jug in my left hand and a quart (two-pint) jug in the right. And so, over the many years I carried water, I bore the heavy jug always on my left; ever since then I have never felt comfortable carrying jugs of equal weight in my hands. I don't know why!

We'd play for hours under the great trees, with three of us (myself, Richard and Evan) staying at home and four (Jennie, Annie, John and Emily) attending Gwytherin School on a fairly regular basis.

There was nothing to disrupt us in our little kingdom by the house. It was always a safe haven, apart from the occasions when our pig – with his gruesome grunts – popped by to look us up. To be honest, I was quite scared of him.

A spot of bother
We'd been warned never to open the gates leading to the mountain. However, on one occasion we went nosing around one of them. It was a big wooden affair and I happened to put one of my feet between the two lower slats. But the gate opened and somehow I became trapped. Scared out of my wits by now, I sent my younger brother

home to fetch my mother and she experienced some difficulty freeing me. There was a right to-do that day; many more reversals came to follow it.

Magic of the mountain

Seldom did we go to the mountain alone, but my mother came with us now and again for a picnic: a proper Tea in the Heather. Sometimes we'd go as far as the shepherds' cabin which stood about half a mile from our home, in the direction of Bryn Trillyn.

We'd be in our seventh heaven when we went onto the moors, running and leaping and hiding in the reeds. If a curlew rose from under our feet we'd listen to its cry; we'd collect wild flowers and put a posy in water, though it was only with great difficulty that we helped ourselves to the heather flowers when they bloomed in the summer months; those miniature trees had branches which were no bigger than a robin's leg but they defied every attack and every tempest with their tenacity; they were much too tough for our childish hands. Now and then we'd come across a colony of bilberries and naturally we'd help ourselves, while taking care not to stain our clothes. There would be plenty of their purple stain on our hands and lips.

Entertainment

We three played endlessly underneath the large trees which grew outside our home. The eldest of us, Richard, had fair hair curling into ringlets, while the younger, Evan, had white hair without the full ringlets. They'd play horses mainly, using our wheelbarrow – with one of them between the handles, or shafts, and the other leading the ensemble. Sometimes they collected small stones with which they made a pattern of 'fields'. A lot of imagination was needed to create our own entertainment in the poor times.

A trip – but not for me
I have such strong memories of receiving my first new dolly when I was three or four years old (I'd had a rag doll before that). There's a story behind the arrival of that doll.

A big day arrived in the Gwytherin calendar – the annual Sunday School trip, to Llandudno. An early start saw horses and carts depart to meet the train at Llanrwst, a distance of about eight or nine miles. Two of us were too young to go and a relative came to baby-sit.

The reason I remember that special day is because that is when I received the brand new dolly I mentioned. My younger brother received a wooden horse, and we were both delighted.

Strangely enough, there were no further trips until the twenties, as far as I recall.

Cutting peat
I've mentioned already that peat fires were the norm at that time, especially in the remote cottages. These peat fires entailed a great deal of hard work. My father would cut the peat during May and there was a special iron tool for the task. The peat bricks were left in situ to dry, and there was a special way of stacking them in threes by the edge of the peat pit, ready for transferral to the cart.

We'd be so happy if we were allowed to go with my father to help with the peat bricks. It was necessary to wait until the beginning of September before we could carry them home and stack them in a shady spot, if there was such a thing at Bron Haul, near the farmstead with a canvas awning pulled over them.

Stormy weather
The winter could be extremely long in such a remote location and even now I can hear 'thudding rain blinding the

windows of our home' and large hailstones falling as if they'd been blasted from the clouds.

I also remember thick falls of snow in the years before I went to school. Rather than let the snow prevent the older children from going to school my father went on horseback to the village shop to buy a small amount of flour in order to make a track in the snow which could be followed by his children's little feet as they battled their way to school.

The cart
Frequent trips to the village were necessary to fetch food for the family and our animals – the pig, the hens, the calves, the horse, and the four cows we kept, together with about fifty sheep which grazed on the mountain in summer (but in the fields below the house in winter). My uncle made a light cart for my father so that he could convey everything he needed to the house, and for farm work. Asking the horse to lug a heavy cart, even an empty one, would have been cruel in such a hilly area; the little cart was absolutely ideal (and the credit goes again to our capable carpenter).

The hay harvest
We had great fun during the hay harvest – it was the best time for us. A friend came up from the village to help out for the duration, a man called William Williams (grandfather of the Rev Wili Williams, Machynlleth, and a great grandfather to Gwyn, Lona and Ifor ap Gwilym). We children would revel in the company of this visitor – I suppose we received more attention that usual, and had more fun.

Those days, the only implement owned by the cottagers to cut hay was the scythe, which required more than a little strength to use. The three small fields closest to the house were exceptional in their heavy cropping. I remember the hay piled in thick swathes, with my two younger brothers hiding in the thick of it. I'd love to see that sight again. I wonder if the clover still thrives there. Probably not.

My father's tidy haystack

My father kept four cows and he ensured at all times that there was enough sustenance for them over the winter. He ploughed very little land, though I recall a small stack of corn in the paddock, since there was no shed at that time. My father would cap the stack with rushes from the mountain, specially selected, and when he finished the stack was a splendid sight – very neat and tidy, with the emerald-tinted rushes sleek and shiny, displaying wonderful craftsmanship.

Wooden pins, about half a yard long, were needed; they were sharpened and pushed into the thatch, then linked with red cord. The overall effect, seen through a child's eyes, was very beautiful. I wonder how many could do that sort of thing today?

The thrifty mother

Another important factor in the life of the family was our mother's skill as a seamstress. She'd make suits for the boys from remnants she'd bought for a few pennies somewhere. And she'd make frocks for my sisters and I. Often she was fortunate enough to receive a skirt from an old aunt or grandmother, to do as she pleased with. Skirts in those days incorporated many yards of material, since they were long and wide with tight bodices and puffed sleeves.

Whatever one might say about today's fashions, I believe there was quite a lot of waste in the design of clothes at the beginning of the 20th century. Seriously now, just think of the weight those poor women had to carry around with them, including two heavy petticoats below the skirt – one woven from white wool, the other from a thick material made by the woollen mill. Skirts included a large pocket since handbags were unknown then.

My mother also knitted socks for the family; she'd send loose wool to the factory in exchange for spun wool which she used for knitting, or flannel and cloth which she could sew into garments.

Knitting a pair of socks took her quite some time, using fine wool and even finer needles. This work was much more taxing than sewing, since she had a sewing machine which lightened the workload.

It's difficult to imagine how she found time to complete all her tasks. Nowadays one hears the perennial complaint 'I've no time for this and no time for that'. But what sayeth the wise man? "There is a time for everything, and a season for every activity under heaven."

It's up to man to arrange his time accordingly.

Travel

You must bear in mind that we walked almost everywhere, and only a few families were fortunate enough to own a pony and trap. Also, roads were difficult to navigate since the ground was soft and mud piled up on the surface, such was the volume of human and animal traffic passing through.

Seldom does one see roads like that nowadays. They're all hard and clean, though maybe a little too hard for some feet if the journey is long. These days wheels are made of rubber, not wood, and there's little room for anything except the vehicles.

Socialising

Though we lived in a very remote spot, summer brought plenty of entertainment with an influx of relatives, and a steady stream of kids friendly with my elder siblings, coming up to visit us.

They'd enjoy a snack of kettle bread and griddle cakes, which could be prepared quickly if a caller arrived unexpectedly. Some of the shepherds also called for a cup of tea and a chat, which was most acceptable to them.

Mountain mist

Many of the farmers who lived in the valley had sheep grazing on the mountain which my father looked after as a means of augmenting our income on the croft.

He'd be out on the mountain in all sorts of weather: in rain, wind and heavy mist, which could be dangerous in such a boggy place. He was brilliant at finding a path – a sheep track would do – but even the best navigators can get lost in a mist. Mountain mist is white and wet, different to the mists which cover cities and plains. Without a raincoat you're soon wet to the skin; there's no need for a bath afterwards, just a towel to dry yourself!

Getting lost in a mist, which inevitably happens up there from time to time, can be a frightening experience. It's as bad as being in absolute darkness, as black as tar. I remember my parents recounting how a relative came to visit us one evening. When he opened the door to go home our house was encircled in mist, and it's likely that night had fallen by then too.

He ventured homewards, knowing he had nearly a mile of moorland – if not further – to cross before he came to a cart track. He kept on walking, believing he was going in the right direction, but no! He'd wandered around in a full circle. Lo and behold, he found himself precisely where he began, much to his surprise. When he realised where he was – Bron Haul's boundary hedge – he followed it round to the gate which led him back to the house.

I cannot recall how he eventually got home, unless my father took him homewards with a lantern, along another, safer path – the one which led to Bryn Clochydd's mountain gate; this was an easier route, but much further.

That night my uncle Ifan (Llethr), who was my mother's brother, was fortunate that one of the bogs didn't swallow him up suddenly without warning. No-one should cock a snook at mountain mist, unless they're safely between two hedges.

It's strange how a few mysterious snatches of history stick in the mind, also the way sad events and happy days stand out in the memory. I'm constantly amazed how some people have memories stretching back to when they were just three years old, whilst much from the last few months is forgotten. But,

> Like an oak in a tempest,
> the memories of childhood stand firm.

Education

Having reached my fourth year it was time to think about learning something – the ABC and counting to ten; and like every other child, discovering that one and one makes two. Learning to read and learning by rote, that's what came easiest, if my memory serves me right. At that age there was little else to clog the mind.

I could read fluently by the time I was five and I was allowed to attend chapel now and then, but not the school. I felt greatly disappointed if I mastered a long section of the Bible but was thwarted by Sunday rain which prevented us from attending chapel. We absorbed these sections of scripture in the usual way, learning what could be written on a slate. Our pencil was made of stone.

My mother was careful to make learning fun by putting a topline on the slate and doing little sums. My elder brother and sister were a great help too. Between them all I got a smattering of letters, like that scamp Wil Bryan in the famous novel Rhys Lewis.

I well remember my first morning in the classroom, when the schoolmistress gave all the children a slate and told them to write their name on it. Afterwards she circulated amongst us, and to my great surprise she took hold of my slate and showed it to the class. She took it around the room, which was full at that time, in a leisurely way, declaring:

Catherine Griffith – and such a long name, too

I'm bragging, now, but...

Forgive me this foolishness, since
It's just a childish memory.

It's such a temptation for all of us to mull and look back on the old days with pleasure and satisfaction:

A carefree and uncomplicated world,
A world without contrary breezes
Oh! how wonderful are the days of childhood.

Having started going to school on a daily basis we were also allowed to attend chapel more frequently, and so we had to prepare for Sunday – by reading Rhodd Mam (Mother's Gift) by John Parry of Chester and the ABC Book for Sunday School, as well as verses from the Bible and poems.

I was very fond of the Hymn Book and I could learn a poem more easily than a verse because it rhymed. It was the four-line poems I liked best, and learnt quickest, but one day I came across a hymn which aroused fear in me for many years, if not to this day.

This is the hymn:

> Must I die
> And lay down my body,
> Must my fearful soul
> Flee to vast eternity?

I came across that hymn by chance early in my life because we children were encouraged constantly to learn poems featuring Jesus Christ: 'Shepherd of Israel, always caring for his dearly beloved lambs' etc., and many more in a similar vein.

Four pennies – what a prize!
I remember going to the New Year's Day Eisteddfod for the first time and competing in the recitation section. I think I'd just had my seventh birthday, rather than my sixth. The competition pieces chosen by judges at that time weren't the simple little pieces we see today; rather, they were difficult pieces which I didn't understand in the slightest. Here's an example:

> A thousand times lighter is the Cross
> If carried from an early age;
> Under its weight the shoulder grows
> And soon the two are one.

Whether I understood the poem or not, I succeeded in winning fourpence in prizemoney, beating an older sister in the process. I wasn't allowed to stay for the evening session so I had to start for home on my own, with night's veil falling, clutching my winnings in my hand. Having got to know the mountain path pretty well, I couldn't reach home fast enough so that I could divulge the news to my parents.

It was a lovely evening and the prizemoney was the best company I could have as I wound my way home.

The village
Having started school, I soon got to know the residents of the village below us in the valley. The parish church, still standing, is very old but some of the graves are even older, since some of them carry illegible inscriptions.

We schoolchildren were allowed to go to the church's Thanksgiving Service, having been urged the previous day by the headmaster to wear our best clothes for the occasion. We made the most of it, enjoying the service; the church was full, with some coming from as far afield as Llangernyw.

The school
Gwytherin School was relatively new – my father was among those who carted stone for its construction. That was proof of its age. There was no local school before then and my father, born in a thatched cottage at Cornwal Fatw, had gone to Pandy Tudur School.

Our headmaster was David Jones, and our time at school was short: most started at about seven and left at the age of twelve. After that we were obliged to enter the big wide world and earn our daily crust. There was simply no choice.

The daily journey
A one-way journey to school meant a two-mile walk for us; other children travelled three miles or more. I had to set off before the rest because my steps were shorter – I was given a 'start' as we used to say.

One morning, as I recall, I was sent off on my own in a strong wind. The road was level for a while after leaving home, but after passing through the mountain gate I had to climb a hillock; however, when I got to the top I had quite a fright because the wind was so strong it took my breath away, making progress very difficult. I thought I was done for. Forced to take emergency action, I turned my back to it and waited for my siblings to catch up with me. A storm is easier to ride when you're in company.

Another family lived close by, with only a strip of mountain land between us. Pant-y-foty, a farmstead which was about the same size as ours, is still there today. But as for Bron Haul, I gather that the house has slipped away into history. I hope there's at least a mound of stones there so that it can remember its own existence in times gone by. I wonder if the great trees which grew in front of the house are still there today?

> By the cottage on the mountain
> Where we played as little children.

It was a sacred spot for me.

As I've already mentioned, only two families lived in this part of Gwytherin, with the exception of the two farms below us – Dolfadyn and Bryn Clochydd.

Funnily enough, we and the children at Pant-y-foty could see each other as we set off for school – but once we set foot on the mountain we lost sight of each other for about half a mile because a hillock stood between the two paths, which then merged by the mountain gate. After that we all walked together down the solid cartway which led to the valley floor and the village.

This was the trackway used by people who carried peat, rushes, gorse, and sometimes heather from the mountain. One morning as we nimbly made our way down the track, eight of us from the two families, we saw a snake on the ground. The roadway was quite narrow so my brother John and another lad (the only boys among us) went in search of stones to throw at it. And they managed to kill the poisonous creature in no time at all. Then they took it to school so that the schoolmaster could attest to their bravery.

The river Cledwen

Sometimes, as we made our way homewards, the boys might decide to play 'little fox'. I didn't understand the game, since only boys played it. Anyway, my brother John climbed to the top of a tree by the stream at Bryn Clochydd, and then fell all the way down to the ground in the dip below. There he was, hollering and crying, unable to make his way back up to us; eventually we were all in tears. But then one of the Pant-y-foty girls ventured into the hollow and eventually she managed to get him back up. I don't know how, since she was smaller than him. He had blood on his face and his lip was all swollen up. And his clothes were so badly ripped he had to miss school the following day, poor mite.

It would have been far easier to go down to Bryn Clochydd to seek help from the men, but I suppose we were scared of being told off.

Whenever we descended down the mountain and passed through the upland meadows we saw a beautiful sight: the narrow valley floor below us, and the river Cledwen flowing gently towards the village. She starts her journey on a bare mountainside, at a bog known as Grianog, not so far from Dolfrwynog:

> Yard by yard she flows, ever onwards
> Through heather, beneath hot sunshine.

Many streamlets have joined her by the time she reaches the valley's wooded floor. As she gains strength she's a boon to mankind, and to animals too. During that long-gone age the mills producing wool and flour were especially reliant on her. This was the river of my childhood; it was in her waters that I bathed.

The boys caught fish with their hands in the pools below the wooden bridge at Dolfadyn, failing to reach school in time for lessons – and a good ticking-off.

The enchanted bell

During my childhood the embers of Evan Roberts's revival still glowed, and the church and chapel attracted swarms of people. The church bell tolled for a quarter of an hour thrice every Sunday. I often recall the allure of that bell – its earnest voice as it called, called, called; and how we all followed the mountain paths downwards towards the village, with the bell's sonorous peal sounding through the vale.

Farewell to Bron Haul

Sometime before my eighth birthday (in 1907) life changed forever when my parents took the tenantship of Ty'n Ddôl, a farm some two and a half miles lower down the mountain. And so the time came for us to say farewell to our little homestead with its simple, unadorned cottage; to leave our home in the heather and the gorse, the reeds and the bracken. We said goodbye to our playground, our haven below the trees:

Where the lark and the wren sing together,
Where the little birds live in the heather.

Before we take leave of my home on the fringes of the Hiraethog Moors during the early years of the century, which were hard times, I would hasten to add that our cupboard was never empty. Through the grace of God and the diligence of our parents, we never had to share one plate of food between nine. The poverty we saw couldn't be compared with the penury experienced two or three generations earlier, described so movingly by Huw Ifans in his heart-wrenching book 'Cwm Eithin.' No, we had so much to be grateful for. Those old gravestones are a constant reminder of the many lives lost during that period. Awful diseases which couldn't be cured. Young blood poisoned by oppression and famine, and rank poverty sending many a lovely young face to an early grave.

Life had improved a little by the turn of the century, as people became more educated; that improvement continues to this day, fortunately.

Ty'n Ddôl

We were moving from an upland summer home (*hafod*) to a lower abode (*hendref*), as it were, so there was no sense of being uprooted. We went to the same chapel, the same school, and our friends stayed the same, though we walked along different routes to reach them. Now we had a hard metalled road between two hedges, coming from the direction of Llansannan, which was a much better option than a mountain path with little more than the shade of a reed for protection. Having said that, the mountain way was the first I set foot on.

The farm at Ty'n Ddôl was thrice bigger than our mountain croft at Bron Haul, and consequently our stock had to be trebled; we also needed implements to prepare and utilise the land, leaving some of it fallow as circumstance allowed. The potential was there to generate much more produce in the lowlands, but that entailed working even harder and my father found a good worker to help him.

The previous farmer, and maybe his father before him too, had completely neglected the farm, a waste of time and energy. Waste in itself is always a crime, but wasting time is shameful. As Morgan Llwyd said:

> A man's allotted time is his inheritance,
> Woe betide him who wastes it.

After bidding farewell to his crook, his sheep and his mountain, my father threw himself into the business of agriculture.

> By the sweat of thy brow shalt thou eat bread.

And though that advice seems draconian, it was the command given to Adam and all his offspring.

Philosophies

My father and mother knew all their new neighbours, who were all anxious to offer their help. My parents had that precious ability to 'know people'; to see through them, as they used to say. They liked to be on friendly terms with everyone, and they had no taste for trouble. If the occasional character was difficult, as sometimes happens, them my parents' motto was 'keep at arm's length.'

And conversely, if they felt that the cords of friendship were being wound too tightly around them, they'd say 'there's a danger of the cord breaking.'

They were very careful what they said in front of the children, in case we spread it around, and they never praised us either, in case we became big-headed. They were guided by rule of thumb.

One thing gave them great delight when we moved from the mountain, and that was the fact that we lived so close now to the little chapel at Cae'r Graig, an offshoot of Gwytherin Chapel, a mere thousand yards from our new home; before that we'd had to get used to a long journey to and fro. But our journey to the village school was two miles down one way and two miles up the other. There was much tramping along it from the direction of Llansannan.

Talking about the neglect suffered by Ty'n Ddôl, it was hard work improving the land because seven large upland meadows around the farm had been invaded by gorse, in an age when the pickaxe, the spade and the mattock were the only tools available.

In about five or six years every available inch had been cleared and ploughed, yielding wonderful crops. Little wonder, since the land had lain idle for many a year. My father put great store by creating good quality land despite being a tenant, not a landowner. They say that a man and his land are very close.

Pig's blood from Bryn Tân

The Tithe War was still raging at the end of the nineteenth century, when the Anglican Church took on the Nonconformists. Officials, coming from far away, invaded every local nook and cranny, terrorising the poor, harmless old people.

I remember a story about an old woman from the village who devised a way of gaining the upper hand. It happened that one day that they killed a pig at Bryn Tân farm, and the old woman heard the squeals from her home in the village. Straight away she went up there and dipped her hands in the blood. Then she dried them on her apron and returned home.

When the enemy came to her gate they were threatened by Elin Williams, who told them: 'I've killed once this morning already and I'll kill you too unless you go away, you cruel devils.' It worked – the pig's blood frightened her enemies and saved the old lady from penury. She was quite a character – I remember her well.

There are so many stories from the backwoods of Wales. Though they were illiterate, the people could be sharply witty, and they were good at kindling humour. If someone came for a stroll in our direction of an evening, and began to recount old stories, we children were in our element.

A taste of true learning

Let us return to my schooldays. Although I was six by the time I started school, I don't think that impaired my education very much. I recall that some of the village children of the same age as me, who had started learning at three, were only one class above me. We were taught by a schoolmistress while we were in the 'classroom' but when we moved up to Standard Two and Three we were instructed by a young man called Arthur Jones, son of the late Thomas Jones, Cerrigelltgwm. A pleasant, promising young person, he was called up by the Army in 1914 and sacrificed his life for his country.

It was the Headmaster who took Standard Four upwards. I must admit that by that stage I'd developed quite a taste for real learning. At the same time I enjoyed every minute I spent under Arthur Jones's wing.

Of course, unless children have learnt a little by the time they're ten to twelve there's not much hope for them after that.

David Jones, the perfect teacher

David Jones, the Headmaster, was a tip top teacher. A knowledgeable man, he knew something about everything. He graduated from the Normal College, like so many others like him, in about 1903. But to us, there was no-one to match him.

The day started with singing, reciting the Lord's Prayer, and a lesson from the Bible. We'd read a long passage together and then he'd explain every verse we'd read. The Old Testament was dealt with a verse at a time.

I clearly remember the day he began to teach us how to do fractions in a much quicker way than the long multiplication which reached from the top of the page to the bottom.

We learnt many poems, in Welsh and in English. He'd write them in sections on the blackboard and then we'd copy them into our books and learn them off by heart. His heroes among the poets were Dafydd ap Gwilym, Goronwy Owen, Eben Fardd, Gwilym Hiraethog, Eifion Wyn and Ceiriog. Among the English poets were Thomas Gray, Tennyson, Wordsworth, Longfellow and Burns.

David Jones had learnt the *cynganeddion* (strict poetic metres) thoroughly, and that is where I first came across this craft. He was fond of asking me to recite sections from the 'Peace Ode' or 'The Destruction of Jerusalem', especially the latter. Indeed, by the end I would have liked to refuse, since I feared the other children would mock me for reciting the same old thing yet again. But who would have dared to disobey someone like David Jones. And fair play to him; I have come to appreciate, if only lately, what we achieved when I came across my old poetry book. I started to number the lines in the second piece: seventy four, with the *cynghanedd* (rhyme) crackling away in each of them. It was greatly to his credit that I managed to master this composition perfectly, all before my twelfth birthday. I thought nothing of it at the time.

We owe so much to David Jones. He was a master of all subjects and he taught the boys how to measure land with a chain, since he knew all about agriculture. He had an eye for a fine animal and he was an excellent gardener, teaching the boys everything about the subject, with a plot of ground for them all. Often people went to him with forms which needed filling. Who could measure our debt to him?

David Jones was an excellent musician also, with a fine, tuneful tenor voice, and he also played the organ and the fiddle. He was a peerless Sunday School teacher and an elder at Siloh Chapel, Gwytherin. He was industrious with the 'Band of Hope', the reading group, the drama society and the eisteddfod. He never missed a Sunday, and he was close to playing the role of minister as well as headmaster.

The school had about eighty pupils in those days – maximum capacity – and David Jones was upset because my elder brother John and his friend, Gwyndaf Morris, weren't allowed to stay on at school. Although they were fine scholars they were forced to leave at thirteen.

David Jones moved to Llanrwst School in the mid-twenties but his health broke down and he died (in the thirties?).

Laying the foundations

At that time the chapels were full to overflowing in every town, village and hamlet; people bearing lanterns walked from the most inaccessible places to the evening services. Gwytherin Chapel was full come summer or winter, with every seat taken; until recently I could name every person in every seat, but no longer – one's memory plays such tricks.

Services lasted longer than they do nowadays, since some preachers took an hour to deliver their sermons. Though I was still young, and understood or remembered very little, I enjoyed the wonderful atmosphere in chapel.

You might wonder what point there was in making children walk miles so that they might listen to incomprehensible themes. But they weren't days of understanding; they were a time when the foundations of understanding were laid down. Days when I first encountered the 'One' whose worship mediates all understanding.

Paths of gold

No-one should discount, dismissively, this sort of start in life. Where have the children gone? Once, Gwytherin was a lively, busy little village but great change has come since then. The blacksmith's forge was a magnet for so many people from all over the area. There he'd stand, in his sweat and dirt:

Whistling away while he fanned his fire.

We'd play happily to the tinkle of his hammer striking the anvil. At other times we'd go to nose around in the carpenter's workshop, with white shavings whispering under our feet. We'd go down to the Mill now and then to stare in wonder at the huge old waterwheel as it moved sluggishly. Perhaps we'd turn in to the bakery, smelling the freshly baked bread and warming our hands by the oven while chatting away with the old baker. Then we might pop along to Tyddyn Deicws woods to collect nuts when they were in season ... there were so many ways to spend our dinner hour.

Today, the smithy has fallen silent; the bakery chimney is without smoke curling through it, and the old mill lies idle with 'no-one there to mill.'

Saddest of all, the school has closed. It's an era of big, noisy units which contribute to a decline in the social life of our small communities; villages which were a mass of activity and culture during the previous century. That's the way of the world.

Yes indeed, I had a wonderful upbringing in a wonderful place; Gwytherin, on the Hiraethog Moors. They were paths of gold, the paths of my childhood.

Memories
by Lloyd Jones

My memories of Bron Haul are the memories of a child.

By now it's a place from a long-ago dream. Every time I go there I seem to be waking from a deep anaesthesia – it's so difficult to equate the Bron Haul of today with the Bron Haul which I ranged over as a boy.

When I stand there today I feel like an old characters who's stepped out of a sepia photograph to view a totally new world; and although there are cattle and sheep grazing this little strip of reedy ground in modern Wales, nothing seems to be happening before my eyes either. Instead I hear old voices on the wind and the barking of ancient dogs coming from somewhere in the mists of time.

Bron Haul is an atoll of farmland in a sea of reeds and heather on the Hiraethog moors. An island like the fabled Gwales, where I spent countless magical years feasting. But when the door to reality was opened I had to leave for the big wide world beyond the mythological confines of Hiraethog.

I'd like your company as I return to this beautiful region in the middle of the last century, when I was born. Wales had slept for centuries on the bed of the middle ages, waking occasionally but changing very little over the years. I was born on the threshold between the old world and this one: in many ways Gwytherin belonged to the distant past. Everywhere around me stood mute witnesses to the old way of life: horse collars hanging from big rusty nails in the stable; two old churns in the granary, with the stink of butter imbued in their wood; rickety old carts in the huts, riddled with rot. The rake and the harrow dragged along behind our tractor (the first in the valley, according to my father) were merely horse-drawn implements adapted by swapping the shafts for a towbar.

In those days we carried water from the well at Bryn Clochydd, and a 'little house' at the bottom of the garden, underneath the damson trees, served as our earth toilet: there was one hole for the big bums and a smaller hole for the little bums. Soggy newspaper completed the rite.

When nightfall came the house was lit with candles and a *Tilley Lamp*. A zinc bath was filled with lukewarm water now and then to clean us up, though I was more often stood in the kitchen sink and subjected to a *strip wash*.

One particular room, by the only door to the house, had been lined with heavy slate slabs which helped cool the milk, butter and so on. It was there also that my father separated honey from the honeycombs, our bees being kept in the garden. Very few people had a fridge in those days and comestibles were kept in a *safe* – a green wooden cupboard on long legs (to keep the mice at bay) with a metal grille like a woman's veil covering its face. Those days, before DDT, the house was plagued with flies and each room was adorned with ribbons of sticky fly-paper hanging from the ceilings like Christmas decorations; one of my entertainments was to count the flies on every strip, and there were hundreds of them. You might scoff, but this was before television or computers came to enslave us.

We had no electricity until my father created a pond in the stream above the house and laid cast iron pipes, travelling downwards to a water turbine which produced a weak power supply. There wasn't enough *oomph* in this turbine to power a fridge but my father managed to get hold of a bakelite television, and after running a spider's web of copper pipes around the garden to act as an ariel we stood before the contraption in great expectation – but saw nothing more enlightening than a steady fall of snow on the screen for a couple of nights before abandoning the project. The sound reached Gwytherin but not the vision; I remember listening astutely to the theme from *Harry Lime*, and the music still excites the hair on my neck when I hear it, such was its magic when I first heard the opening bars at Bryn Clochydd. The television stood there for ages afterwards as a testament to our folly. However, we had more than one bakelite radio littering the place and I loved watching their winking valves and fiddling with the dial, moving from station to station... the BBC Home Service, Hilversum, Warsaw, Athlone, Luxembourg; their names alone were mystical and the different languages were intoxicating – I'd travel from one station to the next, listening to various incomprehensible voices chattering away, as if I were listening to the Martians landing.

If anything went wrong with the turbine I'd have to go down to the hollow to sort it out, and that was the only time all year I was guaranteed a good bath because I was certain to return home soaked to the skin. Since the ampage of the power supply was so low I could change fittings without stopping the turbine; as a young buck I experienced great pleasure in doing this and often trembled like Frankenstein coming to life as the current passed through my body.

God only know how I survived that period. My father, a full-blown alcoholic, had beaten my mother so often that she was forced to leave when I was about seven years old; in the family holocaust that followed I decided to stay on the farm with my father whilst my half-sister Eurwen and my brother Dafydd went to live with Mum at Pandy Tudur, just three miles away. I didn't see Mum for ten years after that (though she told me fairly recently that we came face to face one Christmas at Woolworths in Rhyl – apparently I turned and fled without saying a word).

Poor Mum. After a perfect childhood in the Llansannan area she went to England to work as a domestic servant; her first husband wasn't much use and their first child died tragically while still a tot; the marriage ended soon afterwards. When she moved to work as a housekeeper for my father at Bryn Clochydd love blossomed and they had two sons. Then my father turned increasingly to the bottle; my mother has spoken of a poignant moment when she found a bottle of whisky hidden in the well of the grandfather clock.

No-one knows why he turned to the bottle, and neither do I know why I stayed on the farm. I suspect I stayed with him out of pity. I have a hazy memory of my mother arriving at the farmyard in a taxi to fetch myself and my brother Dafydd whilst my father was in hospital and an aunt was looking after us (I think Mum had been in hospital too); Dafydd went into the taxi but I walked away from her and stood on an ash-heap by the house where I made the most fateful and important decision of my life – to stay with my father. I was seven years old and a lot had already happened to me; for over a year before that I'd been a patient at Gobowen Orthopaedic Hospital in Shropshire, suffering from an illness which attacks the hip and can lead to a lifetime's lameness unless treated properly. The treatment then was severe – I was strapped on my back to a metal frame with leather thongs holding me down for many months. When I went there I couldn't speak a word of English and a Welsh nurse had to be found in Wrexham to look after me. They say that when I returned home I'd lost all my Welsh and had to relearn my mother tongue!

That's how I remember things, half a century later. No-one knows what really happened. It all seems a long time ago, and although I went on to lead a fairly normal life there must have been an inner tension because I became very ill when I was 50 and I nearly died following a bout of severe alcoholism and mental illness, during which I lived rough like a wild man of the woods. Fortunately, I was never nasty in my drink. Just boring, like every other drunk.

My father was a tyrant when he had the whisky inside him. It's an age-old story. My very first memory is of standing at the top of the farmyard with my brother, both of us very young, listening to a terrible commotion coming from the house below us; then Johnie Roberts the postman arrived in his Morris Minor to put a stop to it; by then my poor mother, driven to distraction, had broken my father's nose with the frying pan. Who can blame her. He'd abused her frequently and my half-sister remembers coming home to the farm one Friday evening (during the week she stayed with her aunt and uncle, Harry and Nans, parents of the famous singing duo Emyr ac Elwyn, at Llanrwst) and she was hard pressed to recognise her mother, so bad were her bruises. Happy days indeed.

The end result of all this was that I stayed with my father after the family split, living like a wild animal. I was lucky in that I have a wonderful family and my auntie Catherine was particularly kind. I got to know my mother, who died recently aged 97, for a second time when I was a young man and eventually I had a second (and much more successful) childhood in her company after I'd had a huge breakdown in my fiftieth year. We became great friends and thought the world of each other. I think it's fair to say that my breakdown also brought me closer to my half-sister Eurwen; I had always been very close to my brother Dafydd, and it's strange how similar we are despite our very different upbringings; whilst I lived like a little cannibal on a remote 'island' with my father, Dafydd lived in a tidy little home with our mother. Perhaps Dafydd is a little wiser and more able than I am but we have the same nature, the same world view, and we speak with the same voice. He's a computer expert working for Cadbury's, living in Birmingham with his wife Liz. They have three grown-up children and Dafydd has also successfully broken the cycle of abuse – he's a lovely father.

Here are a few stories which illustrate the crazy, dangerous life I led on the farm at that time. My father was frequently too drunk to work and he would wake me at the crack of dawn – often at five o'clock – to milk the cows and so on before going to school. Very seldom did I go to school on a Monday, since that was market day at Abergele.

Like so many other farm kids, I regularly missed lessons that day. After penning the lambs at Abergele we'd go for a cuppa and a ham sandwich with mustard at the green kitchen (a trailer which moved from place to place) at the sheep market. As soon as that was down the hatch my father headed for his first noggin of the day at the *Bee Hotel*. Then he'd play hide and seek with me all day, springing from one pub to the next like a flea, until late in the day (eventually he let me find him at the *Hesketh*, at the far end of town, when it was getting late). If I remember correctly he never gave me money but instead gave me the child maintenance book and I'd go on my own to the post office to withdraw the money. I can't tell you if this memory is reliable – it doesn't seem possible. But there again, I have a foggy memory of someone at the office stamping the book before handing me ten and six every week. Memory plays such devious tricks that this recollection must be a fabrication.

Then we'd return homewards, calling at some of the pubs on the way, as if we were in a great-coach putting in for a change of horses.

Our first watering hole was the *Stag* at Llangernyw, and whilst my father held forth and generally mesmerised everyone (he was considered to be a great *character*) I would go over the road to listen to the tales of the wonderful old blacksmith still at work by his furnace, or I'd play in a complex of empty buildings opposite the pub.

Next stop was the *Lion* at Gwytherin, where I'd receive my reward for showing so much patience: a packet of crisps and a bottle of Cherry B, which hit me like a hammer blow so that I was half cut by the time I got home, more than ready for bed.

It's hardly surprising, therefore, that I've spent so much of my life in pubs, since they felt like home to me. And there's a weakness in the family, that much is obvious. Alcohol killed my father and it very nearly killed me too – I was as yellow as a buttercup and almost too weak to stand when I gave up drinking on December 28, 2001, at Llandudno Hospital. That date is more poignant to me than any birthday, and those of you approaching fifty should take heart from my story, since I celebrated my half century in a bird hide on the shore near Aber, close to freezing, with no more than an empty vodka bottle for company – but since then I've enjoyed the best years of my life.

My father would drift off to the *Lion Inn* during the evening, leaving me in bed with Fflei the sheepdog as company; we'd listen to the radio together, and if there was something frightening, like a murder mystery on *Saturday Night Theatre*, I'd hide under the bedclothes and quiver with fright until my father returned. For some inexplicable reason we slept in the same double bed until I was in my teens, and my first job every morning was to take the po downstairs and empty it at the bottom of the garden (I can still 'smell' his stale urine mixed with the remains of his *Golden Virginia* or *Shag y Brython* roll-ups). Our bedroom was decorated with yellow wallpaper sprinkled with silver stars, and I spent hours delineating the shape of each star with a thumbnail; this was the equivalent, I suspect, of a prisoner marking off the days with a nail on the wall of his cell!

Having said that, I can't recall my father ever beating me; though he shouted at me and criticised everything I did, he never raised his hand to me. No, he showed his perpetual anger by attacking furniture or animals; my punishment for a transgression was to be sent to the doghouse (literally) with a stick to beat the dogs, or he'd put a shotgun in my hands and order me to shoot one of the dogs.

Such memories make me shudder to this day, and one result is that I won't hurt so much as a spider, and I'll take a woodlouse to the garden rather than kill it. I have a vague memory of both of us fighting with knives in the kitchen, and staying my hand at the last minute though I felt a terrible urge to plant the cleaver in his back. Sometimes, when I sit in the farmhouse at Bryn Clochydd chatting with my cousin Morus, who farms there now with his wife Gwenda, I 'see' some of those events from the past being re-enacted before my eyes, like a Greek drama.

Once again I see my father standing by the dresser, his favourite position, enjoying a smoke and an occasional top-up of whisky whilst reading. How strange that we should be so very similar: I also love books and talking nonsense. My father was a romancer, and given a good wind behind me I too can hold forth on any subject under the sun. My father was able and clever; what a pity he became a Jekyll & Hyde character in his drink. His greatest mistake was to become a farmer – that was the root of his discontent.

So what did we eat on the farm, we two bachelors living together half a century ago?

For breakfast I'd have bread and milk or a sort of potage. This was a good use of stale bread: the crusts were broken into chunks over which we poured warm milk, finished off with a knob of butter to sweeten the mess. Or sometimes, for a change, we'd pour boiling water over the bread and give it piquancy with a spoonful of Bovril instead of butter. My auntie Catherine (a real saint!) brought big casseroles brimming with stews twice a week to sustain us. I recall eating wild raspberries and strawberries in their season, also nuts, and the leaves of the young hawthorn (which we called bread and cheese). Occasionally I'd eat the leaves of the rape plant sown to fatten the lambs, or even cattle feed, but I came to no harm. There wasn't a choice of food or any of the nonsense we see today surrounding the issue of food: it was put before you and you ate it all up without thinking twice. Tripe, buttermilk, and all those things a modern child wouldn't touch – I ate them all avidly.

Three of us would go shooting rabbits quite frequently with me driving the tractor, my father on one side of me and John Kyffin, Cornwal Isa, on the other. We'd drive around the meadows after nightfall lamping the rabbits, dazzling them and mesmerising them with the tractor headlights, before shooting them. We'd return home with dozens of them in the big bucket behind the tractor, and I think we sold them for ten and six a pair (just over 50p).

If a rabbit had taken a lot of shot it went into one of our stews, but we'd have to chew very carefully lest we break a tooth on the pellets of lead from the cartridge. I have a clear memory of going with John Kyffin one night to poach salmon in the Cledwen; I held the torch whilst John gaffed the fish. He was a real character, a peerless poacher and a countryman with a huge store of lore; he wove beautiful and delicate corn dollies, and I was very fond of him. Once, the three of us went on holiday, sleeping like sardines on an old mattress stuffed into the back of a van. We went to Somerset and then Hereford, where my father had been sent to work as a butcher's assistant during the war (he was a conscientious objector). Whilst there we went fishing one day, but not a single nibble came our way – and if anyone could incite the fish to bite, that man was John Kyffin. After an hour or two he asked me to return to the van to fetch something, and when I returned I noticed that the tip of my rod had dipped: at the end of the line I found a lovely trout, but somehow I realised that John had caught it and put it on my rod. Fair play to him. During that holiday I saw a young lad holding hands with a girl, and as they walked towards us I had my first glimpse of human sensuality; it was a revelation to me.

I had three guns by the time I went up to the big school at Llanrwst, and I shot almost everything that crossd my path, even sparrows. I suppose I'd learnt the art of cruelty from my father, and my own way of gaining revenge on the world was to murder the little birds and animals around me. One winter I shot a robin, and after looking at the thin dribble of blood in the snow I went home and put the guns away in a corner; I never touched them after that. One of the shotguns was highly dangerous, and I had to hold the stock and barrel together while shooting or I'd end up on my bum, such was the kick it gave.

One day my father showed me how to poison moles with strychnine, by putting a daub of poison on his finger and smearing a worm with it before depositing it in a mole run; but I don't think he taught me how to wash my hands afterwards (strychnine is incredibly dangerous), and he kept the strychnine tin on a shelf alongside foodstuffs in the kitchen. Imagine that happening today – health and safety officials would put the valley in quarantine and evacuate all the residents!

I'd forever be climbing the tallest trees on the farm, and sitting like a king on my throne in the upper branches of a huge ash tree, proud of my prehensile abilities. But one day, in a far corner of the farm, I nearly came a cropper; it began to rain when I was miles up an old horse-chestnut tree and getting back to safety was touch and go; when I finally managed to reach land I was trembling like a whipped cur.

I remember little about my schooling. Somewhere in my memory there's a foggy picture of the headmaster, Mr Noel Jones, standing like a colossus on the yard at Gwytherin School; also I remember little bottles of milk in the entrance lobby with a fall of snow on them, waiting for our greedy little mouths; also an old dentist with a thatch of white hair who visited the school with an ancient foot-operated drill, since there was probably no electricity there – the drill rotated so slowly I could almost count the revolutions. Another thing I remember – a snake, which one of the kids had caught at the far end of the valley, kept in a suspension of formaldehyde or something like that in a large glass jar.

The annual eisteddfod was held at the village school and I recall the excitement of receiving colourful ribbons for competing. I also recall my voice breaking while singing on the old wooden stage, and Gwynfryn the carpenter 'sawing' someone's leg off behind an illuminated sheet – this little drama in silhouette must have made quite an impression on me.

When I went up to the big school at Llanrwst I encountered, for the first time, the world's capacity for great injustice – for while some of us got off the charabanc at the venerable old grammar school, the rest went on to the 'sec mod' which was secreted at the far end of town, as if society was trying to hide it away. I have been against this system ever since; how on earth can you dictate someone's future on the basis of a single day in his or her life, while still a little child?

I had to walk to the village, about a mile away, to catch the school bus; there followed a seven-mile journey in an antiquated charabanc with anti-macassers on the seats, down to the Vale of Conwy. In summer I could expect a feast of wild berries in the hedges, which reddened my fingers and lips as I walked home.

I learnt next to nothing at the grammar school, except how to fight, which was the main lesson of the day, every day; each contest would attract a circle of avid observers as soon as someone had shouted 'fight!'

God only knows how many times I fought with some kid or other; I must have been pretty tough because I can't remember being beaten. Once I smacked a boy they called Paddy and I witnessed a number of his teeth falling out in his spittle. What would be the consequences of that now? Doubtless I'd be hauled before the magistrates. Yes, we were naughty boys. Sometimes we'd lug one of the girls into the toilets and take her clothes off; we smoked and swore like troopers behind the electricity sub-station, or we'd play three-card brag for pennies or football cards. Berwyn Bach could spit right across the road into the football field – now that's what constituted a hero for us. Our abilities were measured on the football field, or in our unofficial boxing rings.

Some of the teachers thought nothing of giving us a good smack, or sending a piece of wood or the blackboard duster whizzing across the room like a nuclear missile.

In their first year the boys wore short trousers and a black and white cap with a tassle; hardly had the first day ended before it was flung out of a charabanc window by one of the older louts. I remember my father insisting on buying me a huge pair of heavy hob-nailed boots for school, while the other boys slinked around in winkle-pickers or brothel-creepers. I was so ashamed as I clomped around from one class to another that I tried to sneak around on the tips of my toes, my face damp and red with embarrassment. And the contents of my pockets? Baby wild rabbits, fags, football cards, knives, marbles, a catapult, and all sorts of other accessories. Yes indeed, the famous and ancient grammar school at Llanrwst saw a dirty, shambolic gang of ruffians enter its gates during that period.

There was an awful lot of silence in Gwytherin at that time. That's what I remember about the place, to this day – the silence. Flies mumbling in the silence; a cock-crow shattering the peace like a dish breaking on the floor.

That sort of silence belonged to the old world, and it stretched from the top of the valley to the far end of the universe. As I get older I spend more and more time searching for that long-lost silence. I go in search of remote places; I turn off every appliance in my flat so that I can rejoin my forefathers. Silence is miraculous – one of the treasures of the past. Very little remains in Britain, it's as rare as gold. Yes, silence is the ear's gold.

As for the old characters, they've gone too. Birdie the tramp, tramping the roads, tramping from one haystack to the next in search of a bed, carrying big cardboard boxes containing Roberts Radios which he hawked from one farm to another. Birdie could be seen every Monday at Abergele livestock market, losing his temper and shouting at the farmers who taunted him. He wasn't quite all there, and he had a mouthful of bad teeth, but he managed to keep it together somehow. When he died a rumour went round that he'd left a fortune, but such stories were commonplace.

Our own personal tramp at Bryn Clochydd was Now Siani, a filthy, cunning old fox who arrived out of the blue occasionally. He slept in the huts on a bed of old fleeces and he did menial tasks, such as weeding turnips, for his food and some beer money. One evening he cadged some money from my father before doing his tasks and by dawn he'd vanished into the morning mist.

There was another character who helped on the farm, called Abel, an old bachelor who had never been too keen on soap and water either. I can still see him with his weatherbeaten face, standing before me like the star of a silent film, though the cinemas closed many years ago and those grainy films are showing on the mental screens of fewer and fewer people.

When I was born, Abel said to my mother, with the wisdom of Solomon: 'You'll have a lot of pleasure with him Lizzie Mary, and you'll have a lot of pain too.'

You'd presume that Abel was the father of a dozen children himself, but he didn't know one end of a baby from the other.

I could tell you the story of my childhood by leading you from one field to another at Bryn Clochydd.

Y Maes (The Meadow): that is where I saw a binder (an early combine harvester) being hauled behind a Fordson tractor, with hordes of baby rabbits escaping from the square of corn in the middle of the field as it grew smaller and smaller, though some were mangled in the pitiless machinery.

Cae Dan Tŷ (Field Under the House): at the bottom of this field, on a riverbank, nested a kingfisher every year, but (fortunately) I considered this bird to be sacrosanct. Though I put my hand in the hole to feel the eggs, I left them alone – while slaughtering just about everything else I saw. I'd go down Cae Dan Tŷ with my little black and red fishing rod, and I'd return home with a clutch of fresh brown trout threaded on a hazel stick thrown over my shoulder. What beautiful colours they had. I fried them in butter and wolfed them down.

I'd like to tell you a little about my childhood at Bryn Clochydd. The funny thing is that I regret nothing about that period now, and this is certainly not a misery memoir. Yes, it was a difficult time in my life but it created an able child, with an understanding of the world. I could repair a tractor in no time, and I could turn my hand to anything. One day I was mowing hay in Waen Goch, a seven-acre field, with an old-fashioned mower; I had to change the serrated blade quite often and this involved loosening or tightening a huge brass bolt with a wrench. But I failed to tighten it properly on one occasion because it got lost in the field. The words needle and haystack come to mind.

I went home to tell my father but received a surly response – *get back to the field and don't come home until all the hay's been mown.*

And although I was just a kid I went back to that field and used all my powers of reasoning to find the bolt. It was an important experience in my life; I learnt to think straight and to solve a problem using my natural intelligence.

Let's go for a walk now from Bryn Clochydd, up to Bron Haul. I'm not sure when Bron Haul was bought by the owners of Bryn Clochydd but the two farms were united by the time I arrived in this world.

There weren't any quad bikes or Land Rovers then, of course, so anyone with any sense used a mountain pony to climb to the high ground. My father and I had jumped into our Standard 8 pick-up one day and gone to Menai Bridge Fair (Ffair y Borth) when it was at its peak. After watching the belly dancers and hustlers enticing the old farmers into their tents we bought two dun (palomino) ponies for eight guineas apiece and took them home in the pick-up, roped with their heads sticking out of the canvas and looking remarkably like figureheads on the prow of a dilapidated ship. By the time we got home they'd acquired the names Madam and Cheeky. My father owned Madam, the larger of the two, and I was supposed to own Cheeky, though my father sold her later, when I wasn't around, for the price of a few bottles of whisky.

When it was time to visit Bron Haul I'd whistle loudly by

the gate to a field known as Cae Calch and the ponies would be there in a jiffy in return for a lump of sugar or a handful of animal feed. Very seldom did we use a saddle; more often than not we'd slip a simple halter made of baling twine over their heads, since we were both better riders than native American Indians, and we steered our mounts by using our weight and our knees. I was such an accomplished horseman by then that my father began to buy wild horses and let me break them in bucking bronco style. Some of them were dangerous and I had many nasty falls. One day I went to Tyddyn Deicws, across the valley, to fetch something for my father and a little black mare threw me so suddenly I knew nothing about it, waking up in bed at Bryn Clochydd surrounded by a sea of red – my own blood. You had to be dead, virtually, before you were taken to hospital in those days.

I was sent up to the moors almost every day to drive our sheep into their own territory – there were no fences on Mynydd Hiaethog then and the sheep mostly stayed in their own patch after many generations of living there: by habit, as it were. A war had errupted between my father and a neighbour, and there were regular altercations; it's been the same throughout history, probably.

When I climbed up there on the pony I was as happy as a sandboy because I knew I'd get an hour or two of peace. That search for tranquillity has become important to me again; when I want to be alone (which is often) I go for a walk in the hills, and that's when I'm happiest. Indeed, because of the happiness I've found wandering around, enjoying nature, I've walked completely around Wales – a journey of a thousand miles – and I've crossed the country nine times in nine different directions in the last few years. I think I'm bragging now, so I'll shut up!

So up we go to the moors, past fields or strips of land

known as Ffridd Las Isa, Clytiau Mulod, Y Parc, and Ffridd Mynydd, before we reach the mountain gate. This is where the lower farm ends and another world begins – the wilds of the Hiraethog moorland. It's a desolate place composed of rolling wastes of heather and bogland with small lakes here or there, winking back at the sun (though our yellow friend is a rare visitor to the uplands in winter).

I remember sitting by the mountain gate one spring morning, waiting for my father to bring our flock down from the moors, when I put my arm down a rabbit hole. Inside it I found a beautiful object, a soapstone which had been carved internally into delicate chambers and passageways. It was probably shaped by an ancient shepherd, whiling away the time while tending his flock on the mountain. My father arrived in a hurry and I popped it back in the hole; regrettably, it was lost for ever after that. I think of it often; if there were two things I could reclaim from my childhood years they would be the sheepdog Fflei, my friend, and that creation in soapstone. I wouldn't want to see my father again. If you told me he was waiting to see me in the next room I'd be off immediately. Strange, isn't it, that I still fear him after all these years.

Another remembrance from the distant past: my father getting stuck in a bog and my mother having to haul him out. Did this happen? I seem to remember a great panic...
Anyway, away we go again, upwards along the track which wanders through the moorland towards Bron Haul. It's not far, and in ten minutes we see it stretching out before our eyes. On the way we'll see a crater to the right of the track, made by a bomb which was offloaded by a German plane heading for home during the last world war, or so they say. Bron Haul is a rectangular farmstead of just under 50 acres of low grade land divided by a little stream. The land rises slowly towards the horizon. A humped field behind the

homestead has kept its verdure and it remains a little island of green in a vast sea of brownness, a testimony to the long hours of care lavished on it by the old people. The house itself and its outbuildings are derelict today but the trees planted as a windbreak have survived. Someone must have nurtured those trees zealously because there isn't another tree in sight. At the base of one of them there used to be a little spring of clear water and I remember my father cleaning it every year and checking that there was a frog in it to keep it pure. We went through the same ritual at Bryn Clochydd too, and I looked out for the frog whenever I went to fetch water.

One of the most striking things seen by anyone visiting Bron Haul in the old days was a device to catch crows – a room-sized cage made of metal netting. Crows were enticed down a funnel in the 'roof' by a piece of carrion put below it and they became trapped because they were usually unable to find their way out. My father would allow them to die there, and I'd go to watch them trying to escape. Yes, we were cruel and uncivilised people.

I remember both of us trying to catch a wild pony from the moors one day and we managed to herd a dozen or so of them into the sheep-pen at Bron Haul. But their leader, a big white one-eyed mare, was a better tactician than we were; having awaited her moment, when there was sufficient space between her and the gate, she made a run for it and demolished the wooden hurdle, as much as to say *even top cats have a master*.

One day I was high up in the moorland on Madam, herding our sheep – which had a black BC mark on their right flanks – towards their own patch when a thick mist descended suddenly; I couldn't see much further than two yards in front of me and I had to be careful lest I land in a bog. I could see the way to Bron Haul, so I went there in the mist. Those of you who have been in the same situation know that the world goes very quiet in a mist; not a curlew's cry nor a sheep's bleat breaks the silence in the white otherworld which enfolds wanderers on foggy mountains.

After finding the homestead, which was in a reasonable condition at that time, with a zinc roof and even a bed, I led the pony inside and closed the door. It was getting dark by then so I lit a fire; I wasn't afraid and eventually I went to sleep on the bed. My father arrived shortly after dawn, but instead of receiving a tongue-lashing as I expected it became clear that he was very glad to see me alive. It was at rare times like that when I realised he loved me in his own strange way. Since then I've met many people who experienced cruelty in the home and I've come to the conclusion that there are two types of mistreatment. If the child has experienced 'hot' cruelty from an unreasonable but basically loving parent he has a good chance of going on to lead a normal life as an adult (and that's the sort of experience I had). But if a child suffers 'cold' cruelty from an unloving parent he sufferes terrible harm and has little chance of developing into a happy grown-up. That's a personal theory, with no professional backing whatsoever.

And there we are: after our visit to the Bron Haul of fifty years ago we'll leave it shrouded in ancient mist.

It's a mythological place, Bron Haul, a place from an old story about a lost island. To me, Bron Haul represents the old world; the old Wales and the old Welsh, my ancestors.

At times like these, when I try to remember the past (and my brain has been trained to *forget* the past, rather than remember it) I look back with fondness, not sadness. When a man reaches deep middle age he can ask himself an important question: were he given the opportunity, would he be anyone else on Earth? And if the answer is no, *I'll stay the person I am,* then's he's reached an important milestone, don't you think?

That's the way I feel today: wasn't I lucky to be born in Wales during the 1950s, to taste so much freedom and beauty, to have such wonderful experiences?

It was those events which formed me and made me the Lloyd Jones I am today: a rather odd little man, but a person I can live with quite happily from day to day.

It's a miracle I'm here at all. Isn't life wonderful – mist or no mist!

Bron Haul

by Dr Eurwyn Wiliam

You can see Bron Haul from space. Well all right, you can't see Bron Haul from space, but now that we have the computing power of Google Earth at our service, and if we know where to look, we can indeed easily view Bron Haul as it looks from space. With its neighbour Pant-y-foty, it appears as a green island amongst the brownish-purple sea of heather moor that characterises the western fringe of Mynydd Hiraethog. If you use the highest possible resolution, you can also count the number of sheep which grazed its fields on the day when the satellite image was taken in March 2006. And if you interrogate the relevant section of the website of the Clwyd-Powys Archaeological Trust, there again you can see Mynydd Hiraethog from above, this time in an oblique photograph taken from an aeroplane. But the heart-shaped green island remains an equally striking image, partly divided by a ruler-straight trackway.

Bron Haul is an upland farm of 45 acres in the parish of Gwytherin in what used to be Denbighshire. For a century it has been farmed as an adjunct of Bryn Clochydd a mile or so away. The house and farm buildings now stand only as roofless ruins amongst their sheltering trees. The farm's outline has remained entirely as it was when first recorded in map form by the Ordnance Survey's mapmaker Robert Dawson in 1818. Formed by enclosing former open mountain in stages in the eighteenth century, as we shall see later, Bron Haul's story from its creation to its abandonment as a free-standing farm is entirely typical of the ebb and flow of human settlement along the fringes of the Welsh highland mass. In unravelling that story we can also touch upon several other aspects that characterised settlement in Wales from the Middle Ages onwards, including the seasonal migration that resulted in the system of *hendre* and *hafod,* and the later population growth of which the *tŷ unnos* was a result.

But let us start by placing Bron Haul into a geographical context, for it is ultimately geographical rules that enable human habitation. As we have seen, Bron Haul is located on the western fringes of Mynydd Hiraethog. Mynydd Hiraethog is one of those blocks of upland that together form the central spine of Wales. Today much of it is covered by the 15,000-acre Clocaenog Forest and the Alwen and Brenig reservoirs, but in the nineteenth century the open moorland stretched for some 15 miles west to east and six miles at its widest from north to south, accounting for half the total area of the parishes of Tiryrabad-isaf, Gwytherin, Llansannan, Nantglyn, Llanrhaeadr-yng-Nghinmeirch, Cyffylliog and Cerrigydrudion. Towards its western fringe the valley of the river Cledwen breaches the largely uniform northern boundary of the uplands and pushes south like a tongue of cultivated land. The headwaters of the Cledwen flow down from the uplands at the tip of this tongue, and one of the little streams that feeds the river rises in the marshy Gors Dopiog. That stream bisects the land of Bron Haul, which lies at about 1300' above sea level at the head of its own little cwm, and curves like a fish-hook to the south before offloading its brackish, peaty water into the Cledwen near Tu Hwnt i'r Afon. Bron Haul is enclosed by the grimly-named Creigiau Llwydion ('Grey Rocks') to the south-east, which rise to 1530', and is separated from the main valley of the Cledwen to the west by Bryn Euryn, itself rising to 1400'.

Two miles upstream from Bron Haul is the little hamlet of Gwytherin which developed around the medieval church dedicated to St Winifride. In the late eighteenth century it comprised only a few houses clustered around the church;

indeed in the whole of western Denbighshire only Eglwysbach and Henllan could be described as villages then. As late as 1875 it remained a hamlet of no more than a dozen houses. The population of the entire parish was 463 in 1831, and after that declined until it was only 189 in 1901 (one less than in 1681, as it happens).

The geography of the area was well-described by Robert Roberts, *Y Sgolor Mawr* (1834-85), a native of nearby Pandy Tudur in his memoirs, and we cannot do better than quote his words:

> Behold then a great table-land many hundred feet above the level of the sea, cold, bleak and barren. Ascend one of those round bare hills, or *moels*, which here and there rise a little above the general level and you see few traces of human habitation. A vast expanse of undulating moor, all unenclosed and dark with what Scott calls "Mother Earth's worst covering, heath." Large portions are destitute even of that poor cover over the nakedness of the land, being black peat bogs interspersed with stagnant pools of inky water and "quaking" mosses. At a distance the latter look green and fresh, a pleasing contrast to the universal dark purple, but a nearer approach shows them to be treacherous spots where an unwary step will plunge the traveller in an unknown depth of muddy ooze. A few small reedy pools covered with innumerable wildfowl occasionally break the depressing monotony of the scene. Some small dark-coloured sheep, a few black cattle, and a good number of rough shaggy-looking ponies find some kind of coarse herbage in this unpromising tract in which they contrive somehow to exist; and those bits of dry stone walls or turf enclosure which you see in the most sheltered spots

are the poor beasts' cities of refuge in the frequent storms that sweep over the country. These are all that a cursory glance will show you of man's presence. In summer, for a few weeks, turf cutters are seen in the bogs, and carts may be met with conveying the dry peat to the glens below to form the winter's stock of fuel, but during the greater part of the year, except for a solitary shepherd, man might seem to have abandoned the desolate region to the curlew and the lapwing.

But follow the course of that dark looking water which issues out of the bog behind you, and after about a mile of difficult walking through thick wet moss, rushes, and coarse grass with fibres thick and wiry, you will find a new prospect open before you. The stream, rapidly increasing in size by the junction of innumerable little tributaries out of that wet soil, suddenly descends and from a sluggish black ditch becomes a brawling, bounding torrent, white with sparkling foam. It enters a great cleft as if the earth had been suddenly rent by some violent convulsion which now opens before you. In its upper portion it is a narrow *cwm* (Angl. *combe*) and the hills on each side approach so closely that but a very small portion of level ground is left between, through which the *nant* or mountain stream is seen meandering among clumps of willows and alder. In the far distance you see the *cwm* widening into a fertile valley. On a clear day you look into the far distant lowlands where the *nant* becomes a considerable river crossed by many arched stone bridges, and you can on favourable occasions distinguish two or three massive square church towers glistening in the sun. Hall, mansion, and *plas*, each embosomed in its "tall ancestral trees" enrich and enliven the landscape.

But in the *cwm* at your feet the scenery is more bare and the habitations of man more humble. On the sunny side of the ravine at pretty wide intervals, clusters of low buildings are to be seen, each accompanied by a few stunted trees, ash, birch, and sycamore. The houses are rudely built of unhewn boulders, cemented by a mixture of clay and lime. They are mostly of one storey, with thatched roofs, thick walls, and small diamond-paned windows. The outbuildings are also low, uncouth and primitive looking, arranged with little regard to symmetry or order. A few small ricks of hay and oats flank each collection of buildings, and a small garden in front of each dwelling-house denotes that some attempt is made, even in that cold climate, to raise a few vegetables to vary the simple diet, and a few ordinary flowers to decorate the homestead, homely as it is. The farming is old-fashioned, rude and unscientific, the rotation of crops is unknown; the same patches of fields are under cultivation year after year, and round each patch, bordering on the straggling hedges, you see a wide margin of waste ground. There is much dirt and general untidiness too, visible all round, but still there is not any appearance of absolute poverty, that grinding poverty which weighs man down to the earth with its inevitable load, and forbids the heart to hope any longer.

Bronze-Age burial cairns and standing stones show that Mynydd Hiraethog was settled in prehistory. Although clearance cairns, field boundaries and cultivation ridges show that parts of the moor were farmed in the Middle Ages, it was the valleys that were then densely settled. Many of the valley farms were in existence by the 16th century –

Bryn Clochydd is first attested around 1670, for instance. In Tudor times we know that only a small proportion of western Denbighshire was enclosed for cultivation, even though the county was the richest and perhaps the most cultured in north Wales. Uwch Aled, the commote that included Mynydd Hiraethog, was described by the antiquarian John Leland as "the worste parte of al Denbigh land and most baren"

By the time that the Tithe Map of the parish was compiled in 1842 a number of farms and smallholdings had been enclosed on the higher ground, appearing as islands of cultivation in the sea of heather like Hafod-gau near the northern mountain wall, then Waun uchaf las, and then Pant-y-foty (or "Pant-y-hafodty" as it appears on the 1840 O.S. map). The names Hafod-gau and Pant-y-foty suggest that these farms were not recent enclosures or tai unnos made permanent, but rather that their roots might lie much further back in the practice of summering cattle on upland pastures. The uplands have always formed a crucial part of the farming economy, even though crops could not be grown on the highest and most exposed areas. We know from the Middle Ages on that cattle were taken to graze on the upland pastures during the summer (traditionally on May Day – *Calan Mai*) where their milk was turned into cheese and butter. Their absence from the permanent settlement – the *hendre* – allowed the open fields to be ploughed without hindrance, and they were brought down in the autumn (again, traditionally on All Saints' Day – *Calan Gaeaf*). The upland areas where the cattle were grazed were known as the *hafod*, such as the 650 acres recorded at Hafod Elwy in 1334. From the sixteenth century on *hafod* names usually refer not to large tracts of land but to particular places, which had clearly themselves developed into permanent farmsteads, though as late as this time a group of *hafotai* – near-identical rectangular buildings – was established in the Brenig Valley.

But the seasonal movement of animals and people continued until at least the end of the eighteenth century, and Thomas Pennant gave a classic description of the phenomenon in 1783. Experts in studying maps and place-names can fairly readily reconstruct the physical evidence for transhumance in the landscape, and the great expert on the subject, Dr. Elwyn Davies, identified Mynydd Hiraethog as a classic area for studying the phenomenon, using the detailed Tithe Maps of the 1840s as his primary source. From these he was able to show that the *hafotai* were originally just a cottage and one or two small enclosures at the upper reaches of the farm. Gradually these developed into permanent dwellings, with larger fields created around them, and still larger enclosures of rough pasture – *ffriddoedd* – higher up the hillsides. Settlement names which include the element *hafod* (such as Hafod, Bryn Hafod and Hafod-gau) are usually found either along or just behind the old mountain wall, usually at heights of 800 to 900' but sometimes higher.

Coincident with the death of transhumance was the last and best-recorded phase of another feature equally held to be unique to Wales, but actually, like the *hafod* and the *hendre*, a phenomenon with a much wider distribution. This is the practice whereby a poor homeless, landless person would identify a suitable plot of land on unenclosed common or mountain land, and secretly, with the help of relatives and close friends, build under the cover of darkness on one night a crude cottage, a *tŷ unnos* or one-night house, and claim it and a plot of land around it as his own. As it happens, one of the earliest surviving descriptions of the process is a ballad by the Denbighshire poet and dramatist Thomas Edwards, *Twm o'r Nant,* on behalf of a poor and infirm mole-catcher seeking help from his neighbours to build such a house on the mountain near Llanuwchllyn in 1790. We know from other documentary evidence that such cottages were indeed built in one night. They were not designed for permanence, though it could take the new owner (for so he supposed himself to be – usually to be sadly disabused) up to ten or fifteen years to save enough to be able to build a more permanent home. The names of some of these places, such as *Tyddyn y Priccia* (Smallholding of the Sticks) or Clod Hall suggest the impermanent nature of the original dwelling, while many are more descriptive or optimistic, such as *Castell y Gwynt* (Castle of the Wind) or *Drws Gobaith* (Door of Hope).

These illegal enclosures also coincided with the last great age of more legal enclosure in Wales, whereby wealthy landowners or other influential persons would lobby Parliament for private Acts of Enclosure, through which, and with very minimal provision for the care of the poor who were frequently dispossessed, they were able to carve up amongst themselves the common land of a parish in proportion to how much of it they already owned. In this way, the 62,080 acres of common that remained in west Denbighshire in 1821 had fallen to 48,000 acres by 1840. Hugh Evans recalled the process thus:

> When I was a lad, the avarice of the larger farmers for more land was legendary. They rushed for pieces of the mountain ... Some watched for smallholdings to become vacant, then went to the landowner and offered more rent, and [thus] succeeded in joining field to field ... Hundreds of little smallholdings were joined together and the population declined.

By then the long-enclosed narrow valley of the Cledwen protruded as a tongue south into the open mountain; very roughly, all the land up to about 1250' above sea level had been enclosed, whilst the higher ground remained undulating open moor, as it does today to a large extent. Enclosing and improving was itself a physically demanding process, whether it was done by an aspiring smallholder or on contract for a large landowner. Dry-stone walls had to be built sufficiently high and strong to keep the stock from wandering, which also served to clear the obvious boulders from the surface. But the ground was also so tough – as tough as a bull's hide, according to Hugh Evans – that no plough available was robust enough for the task, nor horses strong enough to pull it. The matted surface, never seriously ploughed or if ploughed, then not for centuries, therefore had to be tackled initially by men pushing a breast-plough for a pittance if they were doing it for any pay at all. When a crop was gathered, it was cut with a reaping-hook or a sickle rather than the more advanced scythe.

Little wonder, then, that the background trend from the early nineteenth century was for people to flee the countryside. At the beginning of the century four-fifths of the population of Britain lived in the rural areas; by 1851 this was down to half, and by 1871 to only a quarter. The Industrial Revolution, of course, created innumerable new jobs in the industrialised areas, but there were other factors which led to rural depopulation. Landowners deliberately chose to amalgamate holdings in order to reduce expenditure on maintenance when the industrial economy was weak. The practice had started earlier: Walter Davies in 1810 noted that

> In the beginning of the eighteenth century, farms were much smaller than they were at present. Since

that time the practice of reducing three or four, and in some instances nine or ten, tenements into one, has become prevalent.

And it continued: in Llanefydd parish twenty-one farms were amalgamated between 1870 and the Land Commissioners' inquiry in 1895. R. Wynne Jones was able to list 182 abandoned and ruined farmhouses and cottages that he had heard about in the parish of Llansannan in 1910.

The farmers in these parishes grew oats, and hardly anything but oats; as Walter Davies put it in 1810,

> ... on some parts of the Hiraethog Hills ... no grain is sown but the hardy oat; of which, whole fields may be seen in some years, as green as a leek in the month of October, and not likely to ripen at all.

Samuel Lewis saw no reason to amend this description and used it word for word in his *Topographical Dictionary* of 1833, when he described the parish as 'remote and mountainous, and the source of the rivers Elwy, Aled and Alwen'. The farmers depended on oats, a tiny amount of barley, and a few potatoes, since nothing else would grow on the exposed and unimproved land. Oats were sown for three years in succession, and produced a decent crop only on the second year, since little manure was put on the fields, which after the last crop of oats was left to grass for five or six years until the rotation was started again. But the mainstay of the economy was actually the rearing of beef cattle and sheep for meat and wool. Cattle were reared on improved grassland near the farmstead, those not meant for sale in the autumn being fed on mountain hay. Breeding ewes were wintered on lowland farms, lambing in spring in the enclosed fields near the farmstead and returned to the hill for grazing in May.

The old practice of taking cattle up to the upland pastures had come to an end by the nineteenth century. Upland farmers were beginning to see that although they had to keep some cattle for their dairy produce and manure, there was more money to be had in running sheep, for which the mountain pastures were more suited. Running a mixed economy based on oats and black cattle had never been easy in these narrow valleys and harsh uplands, since agricultural transport was dependent on conveyances such as the slide-car and the *car-llusg*; purpose-built and ideal for steep slopes as they were, they could nevertheless only carry small loads.

But what of Bron Haul? Can we determine its origins? Was it once a *hafod*, was it a *tŷ unnos*, or if neither, then what? When did it come into being? A close look at the fields around Pant-y-foty and Bron Haul suggests that both have early origins. Both have one or two very small fields surrounding the farmstead. Pant-y-foty then has an inner ring of five more medium-sized fields, partly enclosed by a curving boundary, which may represent a further expansion, perhaps in the eighteenth century. Bron Haul probably remained with only two small fields just over the brow of the hill. Three more large fields were enclosed and added to the Mynydd Hiraethog side of Pant-y-foty, with a ruler-straight boundary to the east. That moorland wall was matched by one a few yards away, creating a boundary and north-south access to the moor at the same time as adding seven more, larger fields to Bron Haul.

This had happened by1818, as we can see from Robert Dawson's detailed draft for the first Ordnance Survey map. But when exactly this was done and by whom must remain a mystery, unless a document with all the answers comes to light. Several of the inhabitants of both Bron Haul and Pant-y-foty in the early nineteenth century are listed in documents such as the parish register. A Henry Jones from Bron Haul died there aged 25 in 1824 as did both the infant Eliza Hughes and the 72-year old Jane Wynne in 1831. David Williams aged nine months died there in 1833, as did the seven-year old William Jones in 1836. In 1842, the Tithe Map compiled by Robert Roberts, valuer of Betws Gwerfyl Goch, shows that Bron Haul was owned and farmed by William Williams, and Pant-y-foty by David Owens. William Williams is described as an 'agricultural labourer' in the 1841 census, when he and his wife Elizabeth and their three children aged twelve, six and four were already living at Bron Haul. Unlike many nearby parishes, Gwytherin was not exclusively or even largely owned by one estate; rather it had a plethora of small owners. The largest landowner in the parish was Lord Newborough, but he only owned four farms (including Bryn Clochydd) totalling some 450 acres.

Tithe Maps are valuable sources of information for this period. Until Victoria's reign, all landholders had to pay a tithe (or tenth) of their produce as a salary for the parish priest. The Tithe Commutation Act of 1836 enabled tithes to be replaced by a charge, and detailed maps were drawn of every parish to help estimate the sum due. Since many tenants were Nonconformist, there was a lot of resistance and Denbighshire was to become a hotbed of the *Rhyfel Degwm* (Tithe War) of the 1880s. Bron Haul itself was assessed as being 44 acres in size. It included nine fields of which three (7 acres) were arable, two (11 acres) pasture or meadow, and three (19 acres) rough pasture or *ffridd*. The arable fields were the smaller ones clustered around the house, probably on marginally better soil. Bron Haul's nine fields in 1842 were further sub-divided to form twelve by 1879.

Deeds in the ownership of the family refer to a

document of 1845 'under the hand and seal of the Right Honourable Henry Pelham Clinton Earl of Lincoln and Alexander Milne two of the Commissioners of her then Majesty's Woods, Forests and Land Revenue' which reserved the mining, quarrying and sporting rights to the Crown. The Commissioners of Woods, Forests and Land Revenues had been established in 1810 to ensure that the Crown Lands generated the maximum possible income. Three Commissioners were appointed at a time, and the three named in this document served from 1841 to 1846. The Earl of Lincoln succeeded his father as Duke of Newcastle in 1851, and was later First Secretary of Ireland and Secretary of State for War. The Commissioners presumably had an interest in Bron Haul because it had been enclosed from the Crown waste of Mynydd Hiraethog without the legality of an Enclosure Act from Parliament.

In 1854 only a quarter of the acreage of the Llanrwst Poor Law Union, in which Gwytherin lay, was arable; nearly half was rough grazing, while the remaining quarter – mainly in the Vale of Conwy – was permanent pasture. Farms generally were of middling size, averaging some 95 acres, and tended to run sheep rather than cattle, and mostly sheep on the higher ground. This was the kind of farming which would have been recognisable a hundred years later, with the farmhouse and farmyard surrounded by a number of small meadows and arable fields where roots, potatoes and oats were grown. Above them lay larger rough pasture fields, the *ffriddoedd*, to which the animals were sent in spring to clear the lower land for crops and to await the growth of young grass on the open moorlands above. Sheep were also gathered there for lambing and before dipping and shearing. The *ffriddoedd* often reached up to the 1,000' or 1,100' contour and the mountain wall. The height at which the mountain wall lay was usually dictated by changes in the

natural vegetation, being above the fescue pastures and
scattered thickets of small oak, birch, alder and hawthorn
and stretches of gorse and bracken, all of which could, with
difficulty, be converted into *ffridd*, and below the true
upland pastures and heather moor which could only be
grazed for short periods in the summer.

The results of this kind of husbandry and the poor
weather that characterised the early nineteenth century
were described graphically by Robert Roberts:

> The climate of the *cwm* was cold, and the soil poor
> and exposed: little of the acreage was tilled, and the
> crop on that little was poor and uncertain, and as
> Havod was the last or highest farm in the *cwm*, the
> land was, of course, the most exposed in the whole
> valley. Some scores of acres on the sunny side of the
> *cwm*, near the little brook ... were somewhat better
> sheltered, and it was here that a little wheat was
> grown, not for sale but to furnish the family with 'bara
> canrhyg', their treat on Sundays and other high days.
> On the higher slope of the hills enough barley was
> grown for the use of the family, and in good seasons a
> few bushels more which went towards rent and taxes.
> But it was upon the crop of oats that the farmer chiefly
> depended for his rent money. And this ripened so late
> – if it ripened at all, which it sometimes did not – that
> the snows of November were often on the ground
> before the harvest was all in. Then when the poor
> crop was shaken out of the snow and housed, the
> grain was so sodden that no kiln-drying could make it
> wholesome or palatable food, and as to its market
> value it was, of course, nil.

One such season followed in a year or two after the
opening of our story. The summer was cold and wet.

The turf which had been cut in the bog for winter consumption never dried, but was reconverted by the constant showers into its primitive state of black mud, and so the stock of fuel was spoiled. The hay was plentiful, but badly harvested, and black, mouldy, and sour. And when autumn came and no sign of better weather, the farmer's prospects became black indeed. The few acres of wheat in the lower valley was ripened after a fashion and gathered in, half dry, trusting to the airy barn to complete in some measure the process of drying. But even this unsatisfactory harvest was better than the oats on the hills. Before the crop was gathered in, a great snowstorm came on, and the sheaves of corn were nearly covered with it. Of course, the crop was all spoiled. The grain sprouted in the sheaves, and the green sodden produce hardly paid for the trouble of carrying it to the farmyard, when the melting of the snow rendered such an operation possible.

The permanent structures which dotted the uplands, on whichever side of the mountain wall, were often little better than the *tai unnos* or the *hafotai*. The Clwyd-Powys Archaeological Trust in discussing the farmsteads of this very area note that

> In their original form many of the eighteenth and earlier nineteenth-century dwellings were low, single-storey, stone-built structures with a central chimney, and often accompanied by a small outhouse and occasionally by a pigsty, some of the houses being associated with small stone quarries which evidently provided the source of building materials.

This was how the buildings were described by Hugh Evans:

> The houses were thatched with straw, heather or
> reed, and turf was placed over the ridge. The mortar
> was often clay or straw. If a few were roofed with thick
> slates then no one would have thought of rendering
> under the roof as is done now; so, in order to keep out
> the wind, rain and snow, they had to be mossed ... The
> workers' homes were mostly one-roomed, and a
> dresser and a press cupboard was placed so as to
> create a separate chamber. Sometimes a cock-loft was
> made over the chamber, with a moveable ladder to it
> from the kitchen ... The chimney would be open, the
> fire of peat, a slab on the hearth, and the floor of earth.
> The farmhouses were somewhat better.

But as Hugh Evans noted, many of the upland farmhouses,
as well as the cottages, would have had thatched roofs in the
nineteen century, emphasising the dependence on local
materials. It is also clear from the Gwytherin-born Evan
Evans's detailed recollections of thatching with straw and
with rushes in the area in the early twentieth century that the
normal base of a roof was wattle woven in and out of the
rafters, an ancient and sturdy technique which also served to
brace the roof timbers. A foundation layer of straw was sewn
onto this, and the top coat was pushed into that handful by
handful with a special forked implement, the *topren*.

The parish registers continue to trace the inhabitants of
Pant-y-foty until the twentieth century, but are silent as
regards the people who dwelt at Bron Haul. Was it because
they were chapel-goers? The Griffith family, whom we shall
shortly encounter, certainly were, although buried in the
parish churchyard.

The census return of 1851 shows that the William

Williams we met earlier had left Bron Haul and been replaced as tenant if not owner by Robert Evans and his wife and daughter, both named Jane. They were still there in 1861, when their thirty year-old son was also present on the day of the census. By 1871 William Evans had taken over, with his wife Anne and three young daughters; William had died by 1881, when Anne is recorded as the farmer. Her three daughters were still living at home, but the eldest, the 18 year-old Sarah, was accompanied by her husband Ebenezer Morris, a tailor. Anne, now aged 60, was still there in 1891, but by now was kept company only by her youngest daughter, of the same name. The ownership of Bron Haul during this period is unclear. However, sometime during the succeeding decade of the nineteenth century a young man, David Griffith (1862-1923) moved on his own from the thatch-roofed Cornwal Fatw to Bron Haul, and about 1893 was joined there by a maid, Sarah Hughes (1876-1943), daughter of Llethr farm, and they married and had thirteen children. Their fifth child was a girl, Catherine, and in 1978 she set down her recollections.

We know from her manuscript what Bron Haul looked like in the first decade of the twentieth century. It was a single-storeyed stone-walled house containing four rooms, quite cold and cheerless. The centre-point of the house was the hearth, an old-fashioned grate with two large black-leaded slate hobs either side of the fire where the earthen pots filled with cream were placed to thicken, ready for churning into butter. Above it was a chain from which could be hung a cauldron or kettle as required. This provided all the hot water that was needed for cooking, washing clothes and all the other household tasks. The cauldron was a multi-purpose kitchen tool, used not only for boiling water and the liquid or semi-liquid foods such as *brwes*, *sucan* and *llymru* that were the staple diet of such families (for very little meat was eaten and that which was was either roasted in front of this fire, or more usually boiled). The cauldron was also used, inverted, as an oven for baking bread – *bara cetel* as it was known. It was placed in the ash pit under the grate, the *uffern* (hell), which, if the ashes were not too hot, was also useful for placing weak young chicks to gather strength (*Cyw a fegir yn uffern* ...). The kitchen-cum-living room housed the main items of furniture apart from the bed – an oak dresser, a glass-fronted cupboard in which the housewife's few treasures were displayed, a grandfather clock, a wooden armchair, a large scrubbed farmhouse table with benches, and a small circular table around which David and Sarah Griffith would have sat to eat near the fire.

David Griffith kept four cows and always ensured that he had sufficient feed to keep them over the winter. He ploughed very little of his land, and had no building or shed to keep the resulting crop indoors. The hay-stack and corn-rick had to be thatched with mountain rush – of which at least there was plenty to hand, for in addition to providing summer grazing on the enclosed land, the mountain met many other needs. Exposed outcrops provided stones for building and walling, and many settlement sites have a small quarry nearby. Moorland grass provided treasured extra feed, whilst the rushes that grew around the damp patches were equally prized. A family would spend an entire day every year cutting rushes – a working holiday for the children, at least – ensuring a full waggon-load so that houses and haystacks alike could be thatched, and the cattle could be warmly bedded. Rushes were crucial indoors too, for they were the only source of light until the coming of the oil-lamp, since small upland households could rarely afford costly tallow candles. Rushes were stripped of their coating then repeatedly dipped in hot fat until thick enough to serve, then held in a rushlight holder, the testimony of their dripping wicks still to be seen on old furniture.

Until the coming of the railway, peat was effectively the only fuel to be had, and was cut in May by David Griffith, and then stacked and left to dry until September when it was carried to shelter under a temporary covering near the house. The matted turf on the surface of the land played a crucial part in ensuring that houses and farm buildings alike stayed water-proof, by being placed in strips over the ridge. Moss was carefully collected to be used as another water-proofing material, being pushed under slates on a roof and often between stones in a cottage wall. Heather, too, was harvested as a thatching material, with Bwlch-du at Nantglyn being the last known heather-thatched house in Wales.

Two other crops have to be mentioned. A common food for horses, and sometimes cattle, was gorse. Almost all farms had a field or two laid down to gorse: those farmers who were not so fortunate travelled a considerable distance to obtain a supply. A field of gorse was divided into three, with one-year growth in one section, two-year-old in another, and three-year-old in the last: only this latter was cut. Gorse for use would be cut two or three times a week with either a scythe or a sickle, and gathered into sheaves. Some farms kept ricks of gorse. The gorse then had to be prepared. This was done traditionally with a special mallet-like instrument, which had two metal blades crossing at its base with which the gorse was pounded. By 1847 an agricultural commentator, O.O. Roberts, was able to note that most of these implements had been superseded by machines of the chaff-cutter type into which the gorse was fed with a box-like wooden glove (*maneg eithin*). Some better farms had a water-powered mill for bruising the gorse, such as the one from Deheufryn, Dolwen, now to be seen at St Fagans National History Museum. The gorse was sometimes mixed with potatoes before being fed to the animals. In addition to its use as feed, gorse was also useful as a base for ricks, preventing rats getting into the hay or corn, and was also widely used as a foundation layer for thatched roofs.

In the lowland areas in the nineteenth century the animals were bedded on straw. In the highland areas, however, rushes and bracken provided the bedding. Bracken made excellent litter, and being richer in potash than straw also made better manure. All highland farms had three harvests: hay, corn and bracken and the comfort of those animals which were wintered indoors depended largely on the stack of bracken that was gathered in the third harvest. A good description of the chores associated with cattle in the late nineteenth and early twentieth centuries was given by F. Wynne Jones: his home at Llandrillo was a much larger farm than Bron Haul, but the processes which had to be carried out there were the same:

> During winter the cattle would be in the cowhouse day and night, though in other seasons they would be out grazing ... In winter one of the most important chores connected with the cattle would be watering, that is, letting the cattle out, a few at a time, to drink in the pond. Every shed in the yard would be full of calves and yearlings and bullocks, and the two outhouses full of milking cows and heifers ... Before starting on the work we would have prepared a pile of feed in the feed preparation shed, namely a mixture of straw and swedes prepared by the various water-driven machines, and while the cattle were out we would carry the necessary amount of feed in a basket and put it in the trough. We would also lay bracken or straw on the floors of the sheds and muck out the cowhouses ... For the cattle's supper it was necessary

to cut hay from the stack or shed and carry it to the feeding passage and barn ready to put in the racks. On the weekend, enough feed for two days had to be prepared and carried to the cowhouses, if they had room to store it.

Since it would have been cruel to expect a horse to pull even an empty normal-sized waggon on the steep slopes, Catherine Owen could recall an uncle making a special dwarf cart that was sufficient for her father to collect all that was necessary for the house and farm from Gwytherin, including feed for the cattle, calves, pig, hen and the horse itself, as well as the fifty or so sheep that grazed on the mountain in summer but on the fields below the house in winter. David Griffith cut his own hay with the assistance of a friend, all with a scythe; the three small fields near the house provided an exceptionally good crop. The resulting haystack was thatched with rushes selected especially for the job. He earned extra income by working as a shepherd on the mountain, a dangerous occupation since it was very easy to get lost in the mist and with the ever-present danger of the quaking bogs and rivulets.

So much for the farmer's lot. What about his wife? In addition to bearing and rearing thirteen children when she was between the ages of 18 and 40 from 1894 on, Sarah Griffith would have worked every bit as hard as her husband, and for longer hours. On a small farm without a maid, her duties would have been even more onerous. Day in, day out she would have had to prepare food for the family. According to Ivan Thomas Davies, a witness who appeared before the members of the Royal Commission on Land at Bala in 1895, this is what the day's fare on a hill farm would have been:

First of all we had some bruised oatmeal cake and butter-milk; then we had some bread-and-butter and tea. For dinner we had bacon and potatoes. For tea, about three or four o'clock, we used to have a lot of *sucan*, followed by a cup of tea. *Sucan* is a kind of thin flummery ... Then we had porridge or bread-and-cheese for supper!

This menu is not likely to have changed much for centuries, and continued into the twentieth century. At least Sarah was not faced with the demands of Beti Jones's 25 children, as recounted by Hugh Evans, who when asked what they wanted for supper listed 24 types of the semi-liquid and largely oat-based diet that was usual. Home-grown oats provided oatmeal and its by-product flummery meal (*blawd llymru*), stored indoors in chests and which were the basic ingredients of the sour-grain soups and porridges known as *uwd*, *griwel*, *llymru* and *sucan*. The other major component of their diet was milk and its by-products. The wife would have milked the cows, fed the calves (unless there were children of a suitable age at hand) and carried out all the work of the dairy, churning for butter and cheese – much of which she would have sold for her pin-money, along with the eggs which were also her preserve – and feeding the whey to the pigs, as well as boiling small potatoes for them in the copper for the *briws*. Any meat eaten would largely have come from the pig, killed, cured and the fatty meat hung from the rafters; when a cow was killed for the farm's use it was one not considered good enough to be sold to pay the rent.

She would have done the baking on the open hearth. The family would have to be clothed too, and Catherine Owen's recollections showed how her mother did this. With the husband's clothes frequently soaked by the mountain mists, and with lively children, laundering would have been a major preoccupation too. The late Minwel Tibbott recorded a somewhat unusual way of doing the washing in the Llansannan and Gwytherin area in the early twentieth century. Because all the water had to be carried to the house, it was usual here rather to take the mountain to Mohammed, by carrying the soiled garments together with the wash-tub and the cast-iron boiler to the nearest stream. A fire would be lit in a sheltered position and with a plentiful supply of water, the whole operation of washing and rinsing could be carried out without too much effort. Since Bron Haul's well was near to the house, this was probably not the way this operation was carried out there; but as elsewhere in the area, the clothes were dried on the hedges and thorn bushes, and ironed indoors using flat-irons heated on the hearth. And in addition to all this there was the seasonal expectation that the wife would help with the lambing, and indeed anything else that had to be done.

By the 1950s a feature which is even more noticeable today was apparent, namely the tendency for lowland farmers to own or rent another, upland farm, often miles away from their original holding. The farmhouse of the second farm is not occupied, and the lowlands are used for grazing, with the sheep being sent downhill to winter in a reversal of the old *hendre-hafod* practice. Today's landscape thus presents a picture not only of scattered farms but also of many deserted and uninhabited farmsteads as well, continuing the trend of rural depopulation which has marked the Welsh uplands since the early nineteenth century.

In 1907 the Griffith family moved from Bron Haul. They moved two and a half miles down the valley to Ty'n ddôl, a farm three times the size of Bron Haul. David Griffith had to treble his stock and buy more equipment to improve the land, which he did as means allowed; the previous farmer had neglected it. David Griffith now had a man to help him, and together they cleared even large *ffriddoedd* of gorse and turned them into fruitful arable land. The children too were happy; their friends, school and chapel remained the same, and they now had a proper sheltered road along which to walk to the village. In this way, the Griffith family, like many others who struggled to survive on the Welsh uplands, effectively reversed the *hendre-hafod* tradition and moved to settle in the valley. Bron Haul itself came to be farmed as part of the nearby Bryn Clochydd, and is so still. Its fairly brief history thus represents in microcosm part of the great ebb and flow that has characterised land-use in the uplands as people have responded to the challenges and opportunities presented by climate change.

Further Reading

Clwyd-Powys Archaeological Trust, Historic Landscape Characterisation, Mynydd Hiraethog, www. cpat.org.uk/longer/histland/hiraeth

Elwyn Davies, 'Hendre and Hafod in Denbighshire', *Transactions of the Denbighshire Historical Society* 26, 1977, 49-72

J.H.Davies, ed., *The Life and Opinions of Robert Roberts A Wandering Scholar as Told by Himself,* 1923

Walter Davies, *General View of the Agricultural and Domestic Economy of North Wales,* 1810

B.M. Evans,'Settlement and Agriculture in North Wales, 1536-1650', Ph.D. thesis , Cambridge, 1966

Hugh Evans, *Cwm Eithin,* 2nd edition, 1933

Gwytherin Parish Registers, www.clwyd-mi.co.uk/registers/gwytherin

F.Wynne Jones, *Godre'r Berwyn,* ?1952

Samuel Lewis, *Topographical Dictionary of Wales,* 1849

Tithe Map, Gwytherin Parish, 1842, Clwyd Record Office and National Library of Wales

Thomas Pennant, *A Tour in Wales,* II, 1783

Report of the Royal Commission of Land in Wales, I, 1894; IV, 189

Eurwyn Wiliam, *The Welsh Cottage. Building Traditions of the Rural Poor 1750-1900,* 2010